UBIK

PHILIP

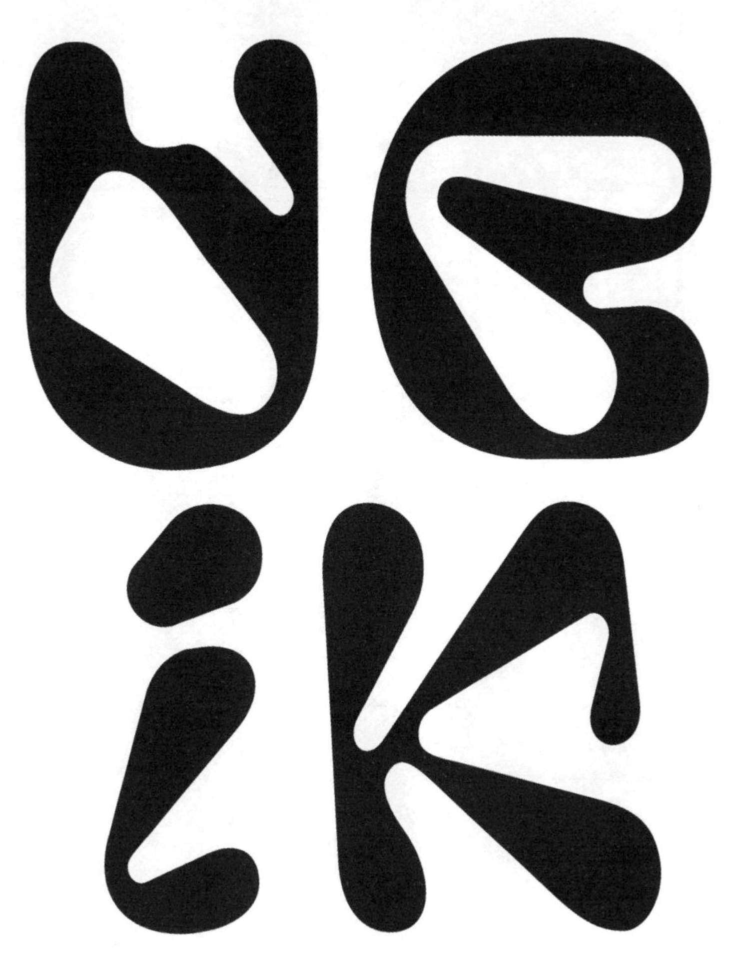

K. DICK

TRADUÇÃO

Ludimila Hashimoto

ALEPH

APOIEM-SE
NO
VASO

PARA
MER-
GU
LHAR
EM
SEGUIDA.

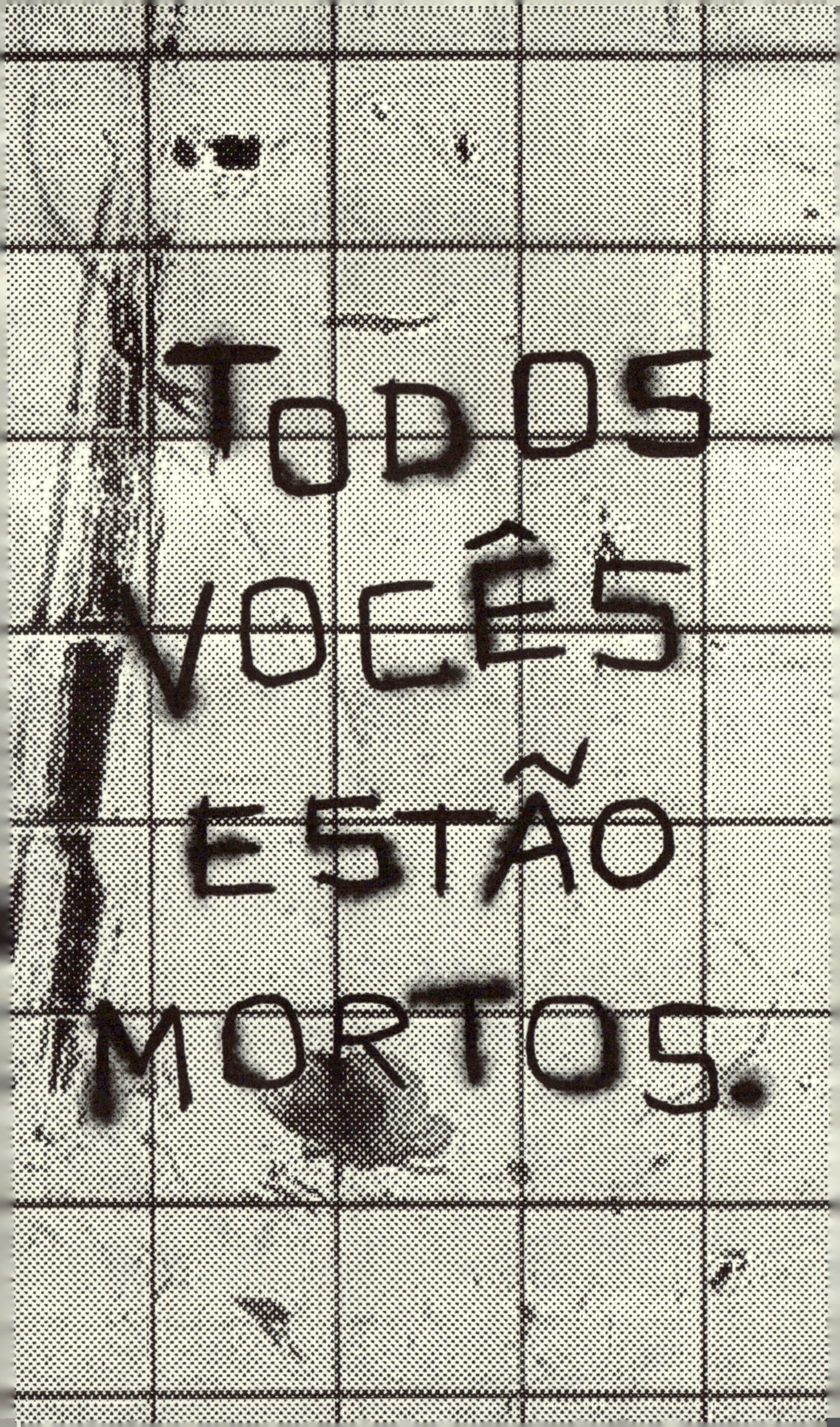
TODOS
VOCÊS
ESTÃO
MORTOS.

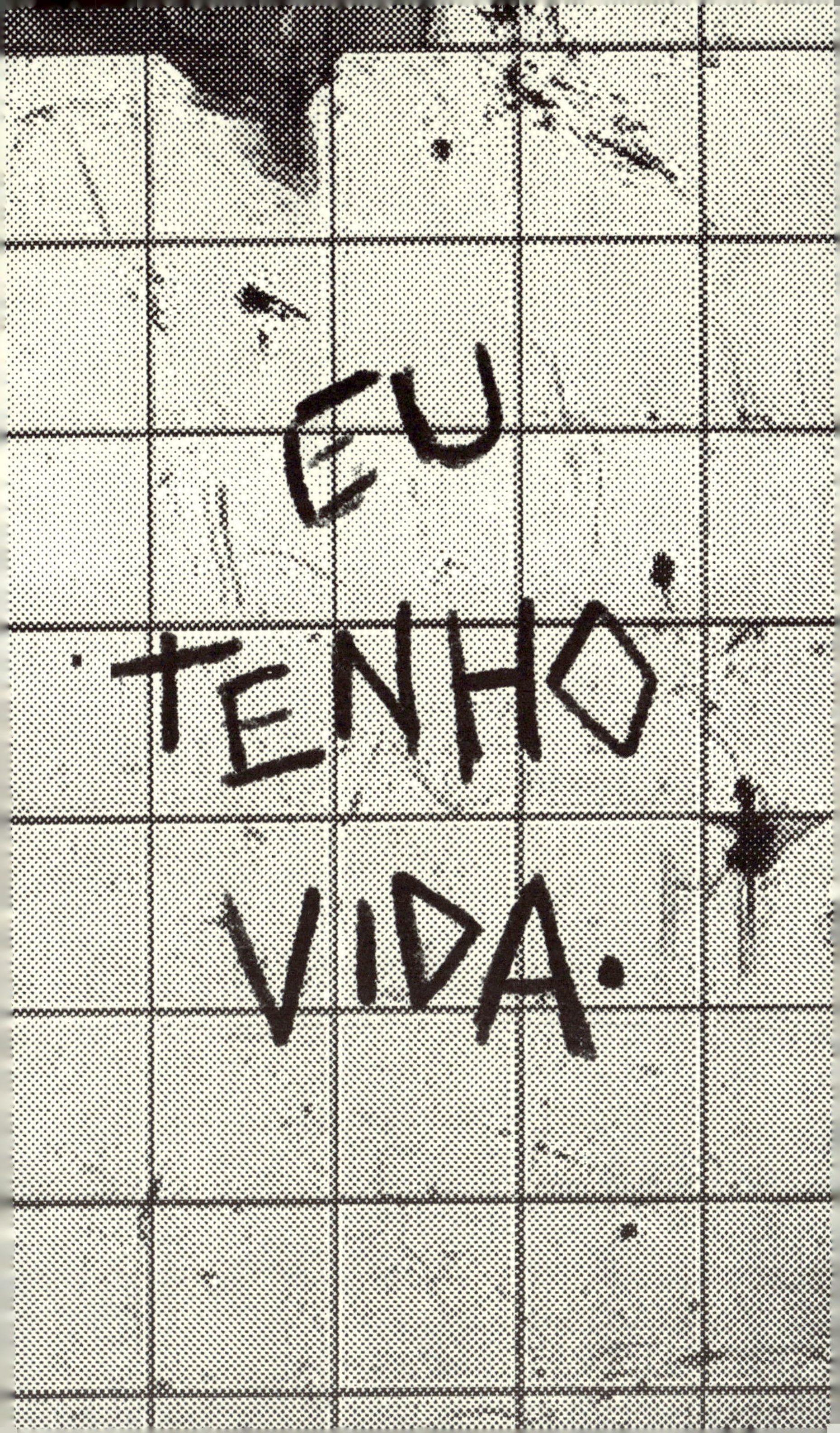
EU
TENHO
VIDA.

Para Tony Boucher

1

Amigos, é hora da limpeza. Estamos com descontos em todos os nossos Ubiks elétricos e silenciosos, poupando-lhes muito dinheiro. Sim, entramos em liquidação total. E lembrem-se: cada Ubik do nosso lote foi usado apenas conforme as instruções.

Às 3h30 da madrugada de 5 de junho de 1992, o maior telepata do Sistema Sol sumiu do mapa nos escritórios da Runciter e Associados em Nova York. Os vidfones começaram a tocar. A organização Runciter havia perdido demais a localização dos psis de Holli nos últimos dois meses. O novo desaparecimento era inaceitável.

– Senhor Runciter? Desculpe incomodá-lo. – O técnico responsável pelo plantão noturno na sala do mapa tossiu, nervoso, enquanto a cabeça enorme e desleixada de Glen Runciter subia, deslizando, até preencher a vidtela. – Recebemos notícia de um de nossos inerciais. Deixa eu ver aqui. – Agitado, mexeu na pilha desarrumada de fitas do gravador que monitorava as mensagens que chegavam. – Foi a senhorita Dorn que informou. Talvez se lembre de que ela havia seguido o Psi até Green River, Utah, onde...

Sonolento, Runciter se irritou:

– Quem? Não consigo me lembrar sempre de qual inercial está seguindo que TP ou precog. – Com a mão, baixou o tufo de cabelo grisalho e eriçado, que parecia arame. – Pule o resto e diga quem do pessoal de Hollis está desaparecido agora.

– S. Dole Melipone – disse o técnico.

– O quê? Melipone sumiu? Tá brincando.

– Sem brincadeira – garantiu o técnico. – Edie Dorn e dois outros inerciais o seguiram até um motel chamado Laços de Experiência Erótica Polimorfa, uma estrutura de sessenta unidades, abaixo da superfície, voltada para o atendimento de executivos e de suas prostitutas que não querem amenidades. Edie e seus colegas achavam que ele não estivesse ativo, mas, apenas por segurança, mandamos um de nossos próprios telepatas, o senhor G. G. Ashwood, entrar e lê-lo. Ashwood encontrou um padrão codificado encobrindo a mente de Melipone, de modo que não pôde fazer nada. Por isso, retornou a Topeka, Kansas, onde examina uma nova possibilidade neste momento.

Runciter, agora mais desperto, havia acendido um cigarro. Queixo apoiado na mão, escorado no assento com ar sombrio, a fumaça subindo diante do scanner do seu lado do circuito de bicanais.

– Tem certeza de que o TP era Melipone? Parece que ninguém sabe qual sua aparência. Ele deve usar uma formatação fisionômica diferente por mês. E o campo dele?

– Pedimos a Joe Chip para entrar e fazer testes para avaliar a magnitude e a minitude do campo que estava sendo gerado ali no Motel Laços de Experiência Erótica Polimórfica. Chip disse que registrou, no pico, 68,2 unidades blr de aura telepática, que apenas Melipone, entre todos os telepatas conhecidos, é capaz de produzir. – O técnico terminou: – Então, foi lá que colocamos a bandeira de identificação de Melipone no mapa. E agora ele... a bandeira... sumiu.

– Procurou no chão? Atrás do mapa?

– Sumiu eletronicamente. O homem que ela representa não está mais na Terra nem, pelo que podemos compreender, num mundo colônia.

Runciter anunciou:

– Consultarei minha esposa morta.

– É madrugada. Os moratórios estão fechados.

– Não na Suíça – disse Runciter com um sorriso torto, como se um refluxo matutino tivesse subido por sua garganta envelhecida. – Boa noite.

Runciter desligou.

Sendo o dono do Moratório Entes Queridos, Hebert Schoenheit, claro, perpetuamente chegava ao trabalho antes de seus empregados. No momento do início da movimentação no prédio frio e cheio de ecos, um indivíduo com ar preocupado e aparência de funcionário de escritório, com óculos quase opacos, vestindo jaqueta de pele tigrada e sapatos de bico fino amarelos, aguardava na recepção, segurando um canhoto de senha. Obviamente, aparecera para cumprimentar um parente no feriado. O Dia da Ressurreição – feriado em que os meias-vidas eram homenageados em público – estava logo ali. A agitação estava prestes a começar.

– Sim, senhor – disse Hebert, com um sorriso amável. – Eu mesmo receberei seu canhoto.

– É uma senhora de idade – disse o cliente. – Por volta dos oitenta, bem pequena e mirrada. Minha avó.

– Só um minuto.

Hebert retornou aos escaninhos das bolsas térmicas para procurar o número 3054039-B.

Ao encontrar a pessoa em questão, verificou a descrição do carregamento anexada. Dava apenas quinze dias de meia-vida restante. Não muito, pensou. De modo automático, encaixou um amplificador portátil de protofáson na cobertura de plástico transparente do caixão, sintonizou, escutou na frequência adequada em busca de indicação de atividade cefálica.

Uma voz que mal se podia ouvir dizia:

– ...daí Tillie torceu o tornozelo, e achamos que nunca ia sarar. Ela era tão tonta, já queria sair andando na mesma hora...

Satisfeito, desconectou o amplificador e localizou um homem do sindicato para realizar a tarefa concreta de transportar 3054039-B até o saguão de consultas, onde o cliente seria colocado em contato com a senhora.

– Você a conferiu, não? – O cliente perguntou, ao pagá-lo com os devidos pós-creds.

– Pessoalmente – respondeu Herbert. – Funcionamento perfeito. – Apertou com o pé uma série de interruptores, depois se afastou. – Feliz Dia da Ressurreição, senhor.

– Obrigado. – O cliente sentou-se de frente para o caixão, que fumegava em seu envelope de bolsa térmica. Pressionou um fone de ouvido contra a lateral da cabeça e falou com firmeza ao microfone.

– Flora, querida, consegue me ouvir? Acho que já estou te ouvindo. Flora?

Quando eu me for, Herbert Schoenheit von Vogelsang disse a si mesmo, acho que pedirei, em testamento, que meus herdeiros me revivam um dia por século. Assim, poderei observar o destino de toda a humanidade. Mas isso representava um custo de manutenção muito alto para os herdeiros – e ele sabia o que isso queria dizer. Mais cedo ou mais tarde eles se revoltariam, tirariam seu corpo da bolsa térmica e – Deus o livre – o enterrariam.

– Enterro é barbárie – Herbert resmungou em voz alta. – Reminiscência das origens primitivas de nossa cultura.

– Sim, senhor – sua secretária concordou, diante da máquina de escrever.

No saguão de consultas, diversos clientes conversavam intimamente com seus parentes em meia-vida, numa tranquilidade ágil, enfileirados a intervalos, cada um separado por seu caixão. Era uma visão serena, aqueles fiéis, que iam sempre com tanta regularidade prestar suas homenagens. Levando mensagens, notícias sobre o que acontecia no mundo lá fora. Animavam os meias-vidas melancólicos nesses intervalos de atividade cerebral. E... pagavam a Herbert Schoenheit von Vogelsang. Era um negócio lucrativo administrar um moratório.

– Meu pai parece um pouco frágil – um rapaz chamou a atenção de Herbert. – Será que o senhor poderia tomar um minuto do seu tempo para verificá-lo? Eu ficaria muito grato.

– Com certeza – disse Herbert, acompanhando o cliente pelo saguão, até o parente falecido. A carga indicava apenas alguns dias restantes. Isso explicava o aspecto adulterado da atividade cerebral. Mas ainda assim... ele aumentou o ganho do amplificador de protofáson, e a voz do meia-vida ficou um pouquinho mais forte no fone de ouvido. Ele está quase no fim, pensou Herbert. Parecia-lhe óbvio que o filho não queria ver a descrição, não queria sequer saber que o contato com seu pai diminuía, finalmente. Então, Herbert não disse nada. Simplesmente se afastou, deixando o filho conversar. Por que dizer a ele que aquela era provavelmente a última vez que iria lá? Ele logo descobriria, em todo caso.

Um caminhão apareceu na plataforma de carregamento nos fundos do moratório. Dois homens saíram usando os familiares uniformes azuis-claros. Atlas Interplan Entrega e Estoque, Herbert notou. Entregando mais um meia-vida que acabara de falecer, ou chegando para buscar um que passara da validade. Sem pressa, pôs-se na direção deles, para supervisionar. Nesse momento, no entanto, sua secretária o chamou:

– Herr Schoenheit von Vogelsang, desculpe interromper sua meditação, mas um cliente deseja que o auxilie a ativar um parente. – Sua voz adquiriu uma coloração especial quando disse: – O cliente é o senhor Glen Runciter, que veio diretamente da Confederação Norte-Americana.

Um homem alto e de idade avançada, mãos grandes, passos rápidos e enérgicos, veio em sua direção. Usava um terno Dacron lava-e-usa policromado, faixa de tricô na cintura e gravata plastrom de talagarça *dégradé*. A cabeça, enorme como a de um gato macho, impelida para a frente, enquanto espreitava, com olhos redondos, ardentes, levemente saltados e muito alertas. Runciter tinha, no rosto, uma expressão profissional de saudação, uma atenção firme que se fixou em Herbert e depois, quase ao mesmo tempo, se desviou dele, como se já estivesse concentrado em questões futuras.

– Como está Ella? – a voz de Runciter ecoou, como se estivesse amplificada eletronicamente. – Pronta para ser ativada para uma conversa? Ela só tem vinte anos. Deve estar em melhores condições que eu ou você.

Deu uma risada gentil, mas que soou abstrata. Sempre sorria e sempre dava risada, a voz sempre ecoava, mas por dentro não notava ninguém, não se importava. Era seu corpo que sorria, acenava com a cabeça e dava apertos de mão. Nada afetava sua mente, que permanecia distante. Indiferente, mas amável, impeliu Herbert a seguir com ele, andando com pose e passos grandiosos até os compartimentos refrigerados em que os meias-vidas, incluindo sua esposa, se encontravam.

– Faz tempo que não vem aqui, senhor Runciter – observou Herbert. Não conseguia lembrar os dados da nota de carregamento da senhora Runciter, quanto de meia-vida preservava.

Runciter, com a mão larga e plana pressionando as costas de Herbert para fazê-lo seguir andando, disse:

– Este é um momento importante, von Vogelsang. Nós, meus sócios e eu, estamos num ramo de negócios que ultrapassa qualquer compreensão racional. Não me sinto à vontade para fazer revelações desta vez, mas consideramos nefasta a situação atual, embora não sem esperanças. O desespero não é indicado, de modo algum. Onde está Ella? – Ele parou de repente, olhou rápido ao redor.

– Eu a trarei do escaninho até o saguão de consultas para o senhor – disse Herbert. Os clientes não deveriam ficar na área dos escaninhos. – Está com o canhoto numerado, senhor Runciter?

– Deus, não – disse Runciter. – Perdi há meses. Mas você sabe quem é minha esposa, pode encontrá-la. Ella Runciter, uns vinte anos. Cabelos e olhos castanhos. – Olhou à sua volta, impaciente.

– Onde você pôs o saguão? Antes ficava num local que eu conseguia encontrar.

– Acompanhe o senhor Runciter até o saguão de consultas – disse Herbert a um de seus empregados, que havia se aproximado de soslaio, curioso para saber como era o dono de uma organização antipsi de fama internacional.

Observando o interior do saguão, Runciter disse, com aversão:

– Está cheio. Não vou conseguir falar com Ella aí dentro. – Avançou na direção de Herbert, que se dirigia para os arquivos do moratório. – Senhor von Vogelsang – disse, alcançando-o e largando mais uma vez a pata no ombro do homem. Herbert sentiu o peso da mão, seu vigor persuasivo. – Não tem um local mais reservado para comunicações confidenciais? O que tenho a discutir com Ella, minha esposa, não é um assunto que nós da Runciter e Associados estejamos prontos para revelar ao mundo.

Envolvido pela urgência da voz e da presença de Runciter, Herbert viu-se murmurando, de imediato:

– Posso deixar a senhora Runciter disponível para o senhor em um de nossos escritórios.

Ele se perguntava o que teria acontecido, que pressão teria forçado Runciter a sair de seu ambiente de trabalho para fazer a peregrinação no meio da noite até o Moratório Entes Queridos para ativar – como Runciter havia expressado de forma indelicada – sua esposa em meia-vida. Algum tipo de crise nos negócios, especulou. Anúncios de diversos estabelecimentos de prudência antipsi, na TV e nos homeojornais, soavam cada vez mais histéricos. Há que se defender a própria privacidade, clamavam os anunciantes de hora em hora, em todas as mídias. Será que um estranho está sintonizando você? Você *realmente* está sozinho? Isso quanto aos telepatas... e ainda havia a preocupação nauseante com os precogs. Suas ações estão sendo previstas por algum desconhecido? Alguém que você não gostaria de conhecer e não convidaria para entrar na sua casa? Acabe com a ansiedade. Um contato com a organização de prudência mais próxima lhe dirá, primeiro, se você está de fato sendo vítima de intromissões não autorizadas. Depois, com base nas suas ordens, anulará essas intromissões – a um custo razoável para você.

"Organizações de prudência." Ele gostava do termo. Tinha dignidade e era preciso. Ele sabia, por experiência própria. Dois anos atrás, um telepata se infiltrara entre os funcionários do moratório, por motivos que ele jamais descobriu. Provavelmente, para monitorar confidências entre meias-vidas e visitantes. Talvez as de um meia-vida específico – de todo modo, o observador de uma das organizações antipsi havia apreendido o campo telepático, e Herbert foi avisado. Mediante sua assinatura em um contrato de trabalho, um antitelepata foi enviado e instalou-se no ambiente do moratório. O telepata não foi localizado, mas foi neutralizado, exatamente como os anúncios de TV prometiam. Assim, no final, o telepata derrotado foi embora. O moratório estava agora livre de psis e, para garantir que assim permanecesse, a organização de prudência antipsi inspecionava seu estabelecimento regularmente, todo mês.

– Muito obrigado, senhor Vogelsang – disse Runciter, seguindo Herbert por uma antessala, onde os funcionários se ocupavam em suas tarefas, até uma sala interna vazia, que cheirava a microdocumentos desnecessários e tediosos.

É claro, Herbert pensou, refletindo, aceitei a palavra deles, de que um telepata entrou aqui. Eles me mostraram um gráfico que obtiveram, citando-o como prova. Talvez tenham falsificado, criado o gráfico em seus próprios laboratórios. E acreditei neles, quando disseram que o telepata havia ido embora. Ele veio, ele foi – e eu paguei dois mil pós-creds. As organizações de prudência poderiam ser, na verdade, fraudulentas? Alegam uma necessidade por seus serviços quando, às vezes, não existe nenhuma necessidade real?

Com essas considerações em mente, saiu de novo em direção dos arquivos. Agora, Runciter não o seguiu. Em vez disso, agitou-se de um lado para o outro, barulhento, tentando acomodar o corpo volumoso nos limites de uma cadeira insuficiente. Runciter suspirou, e para Herbert, de repente, pareceu que o velho de formas gigantescas estava cansado, apesar de suas demonstrações costumeiras de energia.

Acho que quando você sobe a esse patamar, concluiu Herbert, é preciso agir de determinado modo. É preciso parecer mais que um humano com falhas comuns. O corpo de Runciter provavelmente continha uma dúzia de artiforgs, órgãos artificiais enxertados no lugar certo do seu sistema fisiológico à medida que os genuínos, originais, falhavam. A ciência médica, supôs Herbert, fornece o fundamento material, e, a partir da autoridade de sua mente, Runciter fornece o restante. Quantos anos será que ele tem, perguntou-se. Já é impossível julgar pela aparência, especialmente depois dos noventa.

– Senhorita Beason – ele instruiu a secretária –, peça para localizarem a senhora Ella Runciter e me traga o número de identificação. Ela deve ser levada à sala 2-A.

Sentou-se em frente a ela, entreteve-se com uma ou duas pitadas de rapé Fribourg & Treyer *Princes*, enquanto a senhorita Beason começava a tarefa, relativamente simples, de localizar a esposa de Glen Runciter.

2

A melhor forma de pedir uma cerveja é gritar Ubik. Feita com lúpulo selecionado, água de qualidade superior, envelhecida lentamente para um sabor perfeito, Ubik é a escolha número um da nação em cervejas. Feita apenas em Cleveland.

Ereta em seu esquife transparente, revestida por uma exalação de névoa gelada, Ella Runciter estava de olhos fechados, as mãos permanentemente erguidas na direção do rosto impassível. Fazia três anos que ele não a via, e é claro que Ella não tinha mudado. Nunca mais mudaria, pelo menos na forma física e visível. Mas a cada ressuscitação para a meia-vida ativa, para um retorno da atividade cerebral, por mais curto que fosse, Ella morria um tanto. O tempo restante, para ela, pulsava e sumia, esgotando-se lentamente.

Saber disso justificava sua falta em ativá-la com mais frequência. Ele racionalizava assim: aquilo a condenava, reanimá-la constituía um pecado contra ela. Quanto aos desejos declarados por ela mesma, antes de sua morte e em encontros no início da meia-vida, eles haviam se tornado nebulosos na mente de Runciter, o que não deixava de ser conveniente. Em todo caso, ele sabia o que estava fazendo, era quatro vezes mais velho que ela. Qual tinha sido o seu desejo? Continuar atuando com ele como coproprietária da Runciter e Associados, ou alguma coisa vaga nesse sentido. Bom, esse desejo ele tinha realizado. Como agora, por exemplo. E seis ou sete vezes no passado. Ele a consultou, sim, a cada crise na organização. Era o que fazia no momento.

Maldito ajuste do fone de ouvido, resmungou, ao encaixar o disco de plástico na lateral da cabeça. E este microfone. Tudo, obstáculos para a comunicação *natural*. Ele se sentia impaciente e desconfortável ao mudar de posição na cadeira inadequada que Vogelsang, ou qualquer que fosse o nome, havia providenciado. Observou enquanto ela retomava os sentidos e desejava que fosse mais rápida. Depois, em pânico, pensou: Talvez não vá conseguir. Talvez tenha esgotado, e não me contaram. Ou não sabem. Talvez, pensou, eu deva chamar aquele tal de Vogelsang aqui e pedir uma explicação. Talvez algo terrível esteja errado.

Ella, linda, sua pele clara. Os olhos, na época em que se abriam, eram de um azul brilhante, luminoso. Isso não ocorreria novamente. Ele podia falar com ela e ouvir sua resposta. Podia comunicar-se com ela... mas nunca mais a veria de olhos abertos, nem a boca iria se mover. Ela não sorriria quando ele chegasse. Quando ele se fosse, não choraria. Isto vale a pena? Ele se perguntou. Isto é melhor do que o modo antigo, a estrada direta da vida plena para a sepultura? É verdade que ainda a tenho comigo, de certo modo, concluiu. A alternativa é nada.

No fone de ouvido, palavras lentas e incertas se formavam: pensamentos circulares sem importância, fragmentos dos sonhos misteriosos que ela, agora, habitava. Qual era a sensação, ele se perguntou, de estar em meia-vida? Ele jamais poderia compreender, a partir do que Ella havia lhe contado. A parte fundamental, a experiência em si, não poderia ser transmitida de fato. A gravidade, ela lhe dissera uma vez, começa a não afetar a pessoa, que passa a flutuar, mais e mais. Quando a meia-vida acaba, ela disse, acho que você flutua para fora do Sistema, para as estrelas. Mas ela também não sabia, apenas imaginava e conjeturava. No entanto, não parecia estar com medo. Nem infeliz. Ele ficava contente com isso.

– Oi, Ella – disse, sem jeito, ao microfone.

– Ah – a resposta chegou ao seu ouvido. Ela pareceu surpresa. Porém, é claro, seu rosto permaneceu estável. Nenhuma manifestação. Ele olhou para o lado. – Olá, Glen – ela disse, com uma espécie de espanto ingênuo, admirada, perplexa em encontrá-lo ali. – O que... – hesitou. – Quanto tempo se passou?

– Um par de anos – ele respondeu.

– Conte o que está acontecendo.

– Ai, Cristo – ele disse –, está tudo caindo aos pedaços, a organização toda. É por isso que estou aqui. Você queria estar envolvida nas decisões de planejamento das políticas principais, e só Deus sabe que é o que precisamos agora, uma nova política ou, pelo menos, uma reformulação de nossa estrutura de observação.

– Estava sonhando. Vi uma luz vermelha esfumaçada, uma luz horrível. Mas, ainda assim, eu seguia na direção dela. Não conseguia parar.

– É – Runciter concordou. – O *Bardo Thödol,* ou *O Livro Tibetano dos Mortos,* fala sobre isso. Você se lembra de ter lido. Os médicos a fizeram ler quando estava... – Hesitou. – Morrendo – completou, em seguida.

– A luz vermelha esfumaçada é ruim, não?

– É, você deve evitá-la. – Ele limpou a garganta. – Ouça, Ella, estamos com problemas. Você está disposta a ouvir? Digo, não quero sobrecarregá-la ou coisa assim. Só me diga se estiver cansada demais, ou se há alguma outra coisa que queira saber ou discutir.

– É tão estranho. Acho que tenho sonhado esse tempo todo, desde a última vez que falou comigo. Foram realmente dois anos? Você sabe, Glen, o que eu acho? Acho que as outras pessoas que estão à minha volta... parecemos cada vez mais próximas, de forma progressiva. Muitos dos meus sonhos não têm nada a ver comigo. Às vezes sou um homem, às vezes um menino. Às vezes sou uma velha gorda com veias varicosas... E estou em lugares que nunca vi, fazendo coisas que não fazem qualquer sentido.

– Bem, como dizem, você está seguindo para um novo útero do qual irá nascer. E essa luz vermelha esfumaçada... é um útero ruim. Você não deve ir nessa direção. É uma espécie de útero humilhante e vulgar. Você provavelmente está antevendo sua próxima vida ou o que quer que seja. – Ele se sentia tolo ao falar assim. Normalmente, não tinha nenhuma convicção teológica. Mas a experiência da meia-vida era real e transformara todos em teólogos. – Ei – ele disse, mudando de assunto. – Deixa eu contar o que aconteceu, o que me fez vir até aqui para perturbá-la. Perdemos S. Dole Melipone de vista.

Um momento de silêncio, depois Ella riu.

– Quem ou o que é S. Dole Melipone? Esse tipo de coisa não existe.

O riso, a ternura única e familiar do riso, causou um arrepio na espinha de Runciter. Ele se lembrava disso nela, mesmo depois de tantos anos. Não ouvia a risada de Ella há mais de uma década.

– Talvez você tenha esquecido – disse.

Ella o corrigiu:

– Não esqueci. Não teria esquecido um S. Dole Melipone. É algo como um hobbit?

– É o principal telepata de Raymond Hollis. Temos pelo menos um inercial na cola dele, desde que G. G. Ashwood o identificou pela primeira vez, um ano e meio atrás. *Nunca* perdemos Melipone. Não podemos nos dar ao luxo. Quando necessário, Melipone é capaz de gerar o dobro do campo psi de qualquer outro empregado de Hollis. E é apenas um de uma série do pessoal de Hollis que desapareceu... ou que, até onde sabemos, desapareceu. Até onde todas as organizações de prudência da Sociedade sabem. Então pensei, caramba, vou perguntar a Ella o que está havendo e o que devo fazer. Como você especificou no testamento... lembra?

– Lembro. – Mas ela parecia distante. – Coloque mais anúncios na TV. Alerte as pessoas. Diga a elas... – Sua voz foi morrendo até o silêncio.

– Isso está aborrecendo você – ele disse, com tristeza.

– Não. Eu... – Ela hesitou, e ele sentiu que, mais uma vez, se afastava, à deriva. – São todos telepatas? – Perguntou, após um intervalo.

– A maioria, telepatas e precogs. Não estão em lugar nenhum da Terra, isso eu sei. Estamos com uma dúzia de inerciais inativos, sem nada para fazer, porque os Psis que vinham anulando não estão por perto. E o que me preocupa mais ainda, muito mais, é que os pedidos por antipsis diminuíram, o que seria de esperar, dado que tantos Psis estão desaparecidos. Mas eu sei que estão envolvidos num único projeto. Quer dizer, acredito. De qualquer modo, tenho certeza. Alguém contratou o grupo todo, mas só Hollis sabe quem é e onde está. E do que se trata.

Runciter mergulhou, então, num silêncio meditativo. Como Ella conseguiria ajudá-lo a entender a situação? Ele se perguntou. Presa aqui nesse caixão, congelada e isolada do mundo – ela só sabia o que ele lhe contava. Ainda assim, ele sempre confiara na sua sagacidade, na forma peculiarmente feminina desse talento, uma sabedoria que não se baseava em conhecimento ou experiência, mas em algo inato. Algo que ele não havia sido capaz de penetrar, durante o período em que estivera viva. Certamente não poderia fazê-lo agora, quando ela se encontrava em fria imobilidade. Outras mulheres que ele havia conhecido desde sua morte – e foram várias – tinham um pouco disso, indícios, talvez. Insinuações de um potencial maior que, nelas, jamais surgiu como em Ella.

– Diga – pediu Ella – como é esse tal de Melipone.

– Esquisito.

– Trabalha por dinheiro? Ou por convicção? Sempre tenho receios quanto a isso, quando eles têm aquela aura psi de mistério, aquele senso de propósito e identidade cósmica. Como aquele Sarapis horrível tinha. Lembra-se dele?

– Sarapis não existe mais. Supõe-se que Hollis tenha dado um fim nele, porque conspirou para montar sua própria organização para concorrer com Hollis. Um dos precogs deu a dica para Hollis.

– Acrescentou: – Melipone nos dá muito mais trabalho que Sarapis. Quando fica invocado, são necessários três inerciais para equilibrar seu campo, e não há nenhum lucro nisso. Cobramos... ou cobrávamos... o mesmo valor que recebemos com um inercial. Porque agora a Sociedade tem um programa de tarifas que somos obrigados a cumprir. – A cada ano, ele gostava menos da Sociedade. Ela se tornara uma obsessão crônica para ele, sua inutilidade, seu custo. Sua arrogância. – O que podemos afirmar de modo aproximado é que Melipone é um Psi do dinheiro. Isso a faz se sentir melhor? É menos pior? – Ele esperou, mas não ouviu resposta dela. – Ella – chamou. Silêncio. Num tom nervoso, disse: – Ei, alô, Ella. Está me ouvindo? Algo errado? – Ai, Deus, pensou. Ela se foi.

Uma pausa. Em seguida, pensamentos materializaram-se em seu ouvido direito:

– Meu nome é Jory. – Não eram os pensamentos de Ella. Um élan diferente, mais vital, porém desajeitado. Sem a sua sutileza primorosa.

– Sai da linha – Runciter disse em pânico. – Eu estava falando com minha esposa, Ella. De onde você veio?

– Sou Jory – o pensamento veio –, e ninguém fala comigo. Gostaria de participar de sua visita por pouco tempo, se não tiver problema para o senhor. Qual é o seu nome?

Runciter balbuciou:

– Quero minha esposa, a senhora Ella Runciter. Paguei para falar com ela, não com você.

– Conheço a senhora Runciter – os pensamentos ressoavam em seu ouvido, muito mais forte agora. – Ela conversa comigo, mas não é o mesmo que alguém como o senhor falar comigo, alguém do mundo. A senhora Runciter está aqui onde estamos. Mas não conta, porque ela não sabe nada além do que sabemos. Qual é o ano, senhor? Enviaram aquela nave grande para Próxima Centauro? Estou muito interessado nisso, talvez possa me contar. E se quiser, posso contar para a senhora Runciter depois. Tudo bem?

Runciter puxou o plugue do ouvido, largou rapidamente o fone e o resto do equipamento. Saiu do ambiente velho do escritório impregnado de poeira e perambulou entre os esquifes gelados, fileira por fileira, todos claramente arrumados em ordem numérica. Funcionários do moratório passavam diante dele e desapareciam à medida que seguia, agitado, procurando o dono.

– Algum problema, senhor Runciter? – perguntou o tal de von Vogelsang, vendo-o andar desajeitado, aos tropeços. – Posso auxiliá-lo?

– Tem uma *coisa* entrando na linha – disse Runciter ofegante, parando. – No lugar de Ella. Que porcaria, vocês e sua maldita prestação de serviço. Isso não deveria acontecer, e o que significa? – Ele foi atrás do dono do moratório, que já havia seguido para o escritório 2-A. – Se conduzisse meus negócios dessa maneira...

– O indivíduo se identificou?

– Sim, disse que se chamava Jory.

Franzindo a testa com óbvia preocupação, von Vogelsang disse:

– É Jory Miller. Creio que esteja localizado junto à sua esposa. Nos escaninhos.

– Mas eu vejo que é Ella!

– Após um período de proximidade prolongada – explicou von Vogelsang –, há por vezes uma osmose mútua, uma sufusão entre as mentalidades dos meias-vidas. A atividade cefálica de Jory Miller é especialmente boa; a de sua esposa, não. Isso resulta numa passagem, infelizmente unilateral, de protofásons.

– Pode consertar isso? – Runciter perguntou, rouco. Sentiu que ainda estava esgotado, ofegante e trêmulo. – Tire aquela coisa da mente dela e traga minha esposa de volta, esse é o seu trabalho!

Num tom formal e afetado, von Vogelsang disse:

– Caso a situação persista, terá seu dinheiro de volta.

– Quem se importa com dinheiro? Dane-se o dinheiro. – Eles chegaram ao escritório 2-A. Runciter tornou a sentar, vacilante, o coração num esforço que mal permitia que falasse. – Se não tirar esse tal de Jory da linha –, meio arfava, meio rosnava – eu processo você. Eu fecho este lugar!

De frente para o caixão, von Vogelsang colocou o ponto de áudio no ouvido e falou com firmeza ao microfone:

– Reduza o sinal, Jory. Bom garoto. – Olhou de relance para Runciter e disse: – Jory faleceu aos quinze, por isso tem tanta vitalidade. Na verdade, isso já aconteceu. Jory apareceu algumas vezes onde não deveria estar. – Mais uma vez ao microfone, disse: – Isso é muito injusto da sua parte, Jory. O senhor Runciter veio de muito longe para falar com a esposa. Não ofusque o sinal dela, Jory, isso não é legal. – Uma pausa, enquanto ouvia pelo fone. – Sei que o sinal dela é fraco. – Novamente ouviu, solene, agachado como uma rã, depois removeu o fone de ouvido e ficou de pé.

– O que ele disse? – indagou Runciter. – Ele vai sair daí e me deixar falar com Ella?

Von Vogelsang disse:

– Não há nada que Jory possa fazer. Imagine dois radiotransmissores de AM, um próximo, mas limitado a apenas quinhentos watts de potência operacional. E o outro distante, mas na mesma ou quase a mesma frequência, e utilizando cinco mil watts. Quando chega a noite...

– E a noite – interrompeu Runciter – já chegou. – Pelo menos para Ella. E talvez para ele mesmo, se os TPs, paracinéticos, precogs, ressuscitadores e animadores desaparecidos não forem encontrados. Ele não só havia perdido Ella, perdera seu conselho, uma vez que Jory a suplantara antes que ela pudesse dá-lo.

– Quando a colocarmos de volta no escaninho, não a deixaremos perto de Jory novamente. Na verdade, se o senhor for favorável a pagar uma taxa um pouco maior por mês, poderemos colocá-la numa câmara isolada de primeira qualidade, com paredes revestidas e reforçadas com Teflon-26, de modo a inibir a infusão heteropsíquica por parte de Jory, ou de qualquer outra pessoa.

– Não é tarde demais? – disse Runciter, emergindo momentaneamente da depressão na qual o acontecimento o havia jogado.

– Pode ser que ela retorne, desde que Jory reduza o sinal. Ele ou qualquer outra pessoa que possa ter entrado nela, devido a seu estado enfraquecido. Ela está suscetível a quase qualquer um. – Von Vogelsang mordeu o lábio, num estado evidente de reflexão. – Pode ser que ela não goste de isolamento, senhor Runciter. Não é sem motivo que mantemos os contêineres... os caixões, como são chamados pelo público leigo... juntos. Vagar pela mente uns dos outros dá àqueles que estão em meia-vida o único...

– Coloque-a na solitária agora mesmo – Runciter interrompeu. – Melhor isolada que inexistente.

– Ela existe – corrigiu von Vogelsang. – Simplesmente não consegue entrar em contato com o senhor. Há uma diferença.

– Uma diferença metafísica que não significa nada para mim.

– Eu a colocarei em isolamento – disse von Vogelsang –, mas acho que o senhor está certo, é tarde demais. Jory a penetrou de modo permanente, pelo menos até certo ponto. Sinto muito.

Runciter disse, com rispidez:

– Eu também.

3

Ubik instantâneo possui todo o sabor fresco do café recém-coado. Seu marido dirá: – Nossa, Sally, antes eu achava que o seu café era mais ou menos. Mas agora, uau! Seguro, se consumido conforme as instruções.

Ainda com o alegre pijama listrado, estilo palhaço, Joe Chip sentou-se, meio confuso, à mesa da cozinha, acendeu um cigarro e, depois de inserir uma moeda, girou o seletor de sua máquina de homeojornal, alugada recentemente. De ressaca, moveu o botão até eliminar as *notícias interplanetárias,* pairou momentaneamente sobre as *notícias nacionais* e então selecionou *fofocas.*

– Sim, senhor – disse a máquina num tom de entusiasmo. – Fofocas. Adivinhe o que está aprontando, neste exato momento, Stanton Mick, o solitário especulador financeiro conhecido interplanetariamente?

O mecanismo zumbiu, e um rolo de material impresso foi saindo da fenda. O papel ejetado, um documento em quatro cores, nitidamente gravado em negrito, rolou pela superfície da mesa de neoteca até bater no chão. Com a cabeça doendo, Chip o apanhou e estendeu diante de si.

MICK PEDE DOIS TRI AO BANCO MUNDIAL

(AP) Londres. O que estaria tramando Stanton Mick, o solitário especulador financeiro conhecido interplanetariamente? Foi o que o mundo dos negócios se perguntou, ao vazarem rumores de que o magnata industrial enérgico, porém excêntrico, que chegou a oferecer a construção gratuita de uma esquadrilha por meio da qual Israel pudesse colonizar e fertilizar áreas desertas de Marte, havia solicitado, e que poderia receber, um empréstimo inacreditável e sem precedentes de...

– Isso não é fofoca – disse Chip para a máquina. – Isso é especulação sobre transações fiscais. Hoje quero ler sobre qual estrela da TV está dormindo com a esposa de qual viciado em drogas. – Ele não havia dormido bem, como de costume, pelo menos em termos de sono REM. E havia se recusado a tomar um sonífero porque, muito infelizmente, seu suprimento de estimulantes daquela semana, fornecido pela farmácia automática do prédio de condaptos, havia acabado – devido, reconhecidamente, à sua própria voracidade oral, mas, ainda assim, esgotado. Por lei, ele não poderia se dirigir à farmácia para obter mais até a próxima terça. Dali a dois dias, dois *longos* dias.

A máquina de homeojornal disse:

– Ajuste o indicador para *fofoca baixa.*

Assim o fez, e um segundo rolo, expelido de imediato pela máquina, surgiu. Ele mirou numa excelente caricatura de Lola Herzburg-Wright, lambeu os lábios com satisfação ao ver toda a orelha direita exposta de modo malicioso e, depois, deleitou-se com o texto.

Abordada por um batedor de carteiras numa boate luxuosa de NY na noite passada, LOLA HERZBURG-WRIGHT deu um golpe de direita no queixo do malfeitor, fazendo-o cambalear para cima da mesa em que o REI EGON GROAT, DA SUÉCIA, e uma senhorita não identificada com extraordinários e imensos...

O constructo de campainha da porta do condapto fez um som estridente. Assustado, Joe Chip ergueu a cabeça, viu que o cigarro estava quase queimando a superfície de fórmica da mesa de neoteca, resolveu isso e depois, com a visão embaçada, foi arrastando os pés até o tubo acústico convenientemente montado ao lado da trava da porta.

– Quem é? – resmungou. Verificou em seu relógio de pulso que ainda não eram oito horas. Provavelmente o robô do aluguel, concluiu. Ou um credor. Não destravou a porta.

Uma voz masculina entusiástica saiu do alto-falante da porta, exclamando:

– Sei que é cedo, Joe, mas acabo de chegar à cidade. É G.G. Ashwood. Estou com um candidato para a firma que consegui agarrar em Topeka. Meus registros indicam que esse é magnífico, e quero sua confirmação antes de largar a proposta no colo de Runciter. De todo modo, ele está na Suíça.

Chip respondeu:

– Não estou com meu equipamento de teste no apartamento.

– Eu dou um pulo na oficina e pego pra você.

– Não está na oficina. – Relutante, admitiu: – Está no meu carro. Acabou não dando pra descarregar ontem à noite. – Na realidade, ele estava detonado demais de papaconha para conseguir abrir o porta-malas do aerocarro. – Não dá pra ser depois das nove? – perguntou, impaciente. A energia maníaca instável de G. G. Ashwood o irritava até mesmo ao meio-dia... Aquilo, às sete e quarenta, parecia completamente impossível de aturar, pior até que um credor.

– Chip, meu querido, isto é uma joia rara, uma coleção de milagres ambulante, de entortar as agulhas do teu medidor e, além disso, dar vida nova à firma, que está mais do que precisando. Além do mais...

– É um anti o quê? – perguntou Joe Chip. – Telepata?

– Vou abrir o jogo com você – anunciou G. G. Ashwood. – Não sei. Olha, Chip – falou mais baixo. – É confidencial, este em particular. Não posso ficar aqui no portão tagarelando em voz alta. Alguém pode ouvir. Na verdade, já estou captando os pensamentos de algum intrometido num condapto do térreo. Ele...

– Está bem – disse Chip, resignado. Quando começavam, os monólogos implacáveis de G. G. Ashwood não podiam mesmo ser interrompidos. Não teria por que não ouvi-lo. – Me dá cinco minutos para me vestir e descobrir se sobrou café em algum lugar do apartamento. – Ele tinha uma vaga lembrança de ter feito compras na noite anterior, no supermercado do condapto. Em particular, a lembrança de ter rasgado um selo verde de ração, o que poderia significar café, chá ou rapé especial importado.

– Você vai gostar dela – G. G. Ashwood afirmou, enérgico. – Apesar de, como costuma acontecer, ela ser filha de um...

– Ela? – Alarmado, Joe Chip disse: – Meu apartamento não está em condições de ser visto. Estou atrasado com os pagamentos dos robôs da limpeza. Faz duas semanas que eles não entram aqui.

– Vou perguntar se ela se importa.

– Não pergunte. *Eu* me importo. Faço o teste dela fora daqui, lá na oficina, no expediente da Runciter.

– Li a mente dela, ela não se importa.

– Quantos anos ela tem? – Talvez, pensou, seja apenas uma criança. Vários inerciais novos e potenciais eram crianças que desenvolveram sua habilidade para se protegerem de pais psiônicos.

– Quantos anos você tem, querida? – G. G. Ashwood perguntou com a voz tênue, virando a cabeça para falar com a pessoa que estava com ele. – Dezenove – ele informou a Joe Chip.

Bem, isso encerrava uma questão. Mas, agora, ele estava curioso. A rigidez tensa e alvoroçada de G. G. Ashwood normalmente se manifestava em conjunção com mulheres atraentes. Talvez a garota estivesse em tal categoria. – Me dê quinze minutos. – Se ele trabalhasse rápido e disfarçadamente numa operação de limpeza, e se esquecesse o café e o café da manhã, era provável que conseguisse produzir um apartamento limpo até lá. Pelo menos, parecia valer a pena tentar.

Desligou e foi procurar nos armários da cozinha uma vassoura (manual ou automática) ou um aspirador (à bateria de hélio ou tomada de parede). Nenhum dos dois foi encontrado. Era evidente que ele jamais recebera nenhum tipo de equipamento de limpeza da agência de abastecimento do prédio. Maldita hora, pensou, para descobrir isso. E morava ali há quatro anos.

Pegou o vidfone e discou 214, o ramal do circuito de manutenção do prédio.

– Escuta – ele disse, quando a entidade homeostática atendeu, – estou agora em condições de direcionar parte dos meus fundos no sentido de acertar minhas contas relativas a seus robôs de limpeza. Gostaria que viessem aqui neste momento para a faxina no apartamento. Pagarei toda a conta na íntegra quando terminarem.

– O senhor pagará toda a conta na íntegra antes de começarem.

A esta altura, ele estava com a carteira nas mãos. Virou seu estoque de Chaves de Crédito Mágicas – a maioria, àquela altura, cancelada. Provavelmente para sempre, a julgar pela sua relação com dinheiro e pagamento de dívidas urgentes.

– Pagarei minha conta vencida com a Chave Mágica Triangular – ele informou seu antagonista sombrio. – Isso deve transferir a dívida para fora de sua jurisdição. Em seus registros constará restituição total.

– Mais multas, mais punições.

– Passarei tudo isso para a minha Chave em Forma de Coração...

– Senhor Chip, a Agência de Análise e Auditoria de Crédito de Varejo Ferris e Brockman publicou um folheto especial sobre o senhor. Nosso conector de recepção o obteve ontem e ele ainda está claro em nossa mente. Em julho, o senhor caiu de um status G triplo de crédito para G quádruplo. Nosso departamento – na verdade, todo este prédio condapto – está programado para não oferecer serviços e/ou crédito a anomalias tão patéticas quanto o senhor. Tudo o que lhe diz respeito deverá, daqui por diante, ser resolvido no contrapiso de pagamentos em dinheiro. Na verdade, o senhor provavelmente ficará no contrapiso de pagamentos em dinheiro para o resto da vida. Na verdade...

Ele desligou. E abandonou as esperanças de induzir e/ou intimidar os robôs de limpeza a entrar em seu apartamento desarrumado. Em vez disso, foi andando até o quarto para se vestir. Isso ele era capaz de fazer sem ajuda.

Depois de se vestir – roupão marrom, sapatilhas com a ponta virada para cima e uma boina de feltro com borla –, escarafunchou a cozinha na esperança de alguma manifestação de café. Nada. Voltou, então, o foco para a sala e encontrou, próximo à porta que dava para o banheiro, a sobrecapa da noite passada, em toda a sua extensão salpicada de azul, e um saco plástico com uma lata de duzentos gramas de café Kenya autêntico, uma verdadeira delícia, e uma outra que ele só teria tido a honra de adquirir em um momento de estupor alcoólico. Especialmente em vista de sua abominável situação financeira atual.

Na cozinha, buscou uma moeda em diversos bolsos e, com ela, ligou a cafeteira. Inalando o odor – para ele – bastante incomum, consultou mais uma vez o relógio, viu que os quinze minutos haviam passado e seguiu, com passos enérgicos, até a porta do condapto. Virou a maçaneta e puxou o pino da tranca.

A porta se recusou a abrir. Ela disse:

– Cinco centavos, por favor.

Ele revirou os bolsos. Nenhuma moeda mais. Nada.

– Eu te pago amanhã – disse à porta. Forçou a maçaneta mais uma vez. Mais uma vez ela permaneceu firmemente trancada. – O que eu lhe pago é uma espécie de gorjeta. Eu não *tenho* que pagá-la.

– Penso diferente – disse a porta. – Olhe no contrato de compra que você assinou ao adquirir este condapto.

Na gaveta da escrivaninha, ele achou o contrato. Desde que assinara, muitas vezes teve necessidade de consultar o documento. Sem dúvida. O pagamento à sua porta para abertura e fechamento constituía taxa obrigatória. Não uma gratificação.

– Descobriu que estou certa – disse a porta. Ela parecia cheia de si.

Na gaveta ao lado da pia, Joe Chip pegou uma faca de aço inoxidável. Com ela, começou a desparafusar sistematicamente o pino do ferrolho da porta mercenária de seu condapto.

– Vou te processar – foi o que a porta disse quando o primeiro parafuso caiu.

Joe Chip disse:

– Nunca fui processado por uma porta. Mas acho que consigo sobreviver se for.

Ele ouviu uma batida na porta.

– Ei, Joe, amor, sou eu, G. G. Ashwood. E ela está bem aqui comigo. Abre.

– Põe cinco centavos aí pra mim – disse Joe. – O mecanismo parece emperrado do lado de cá.

Uma moeda rolou para dentro do mecanismo da porta. Ela se abriu e lá estava G. G. Ashwood com um olhar radiante. Sua expressão pulsava com uma intensidade furtiva, com um leve brilho inconstante de triunfo, enquanto impelia a garota a seguir em frente e entrar no apartamento.

Ela ficou parada por um momento, olhando para Joe. Obviamente não tinha mais de dezessete, esbelta e de pele morena, com grandes olhos escuros. Meu Deus, ele pensou, ela é linda. Usava uma camisa de uniforme de trabalho imitando lona e calça jeans, botas pesadas com uma crosta que parecia ser lama autêntica. O emaranhado de cabelos brilhantes estava preso para trás e amarrado com uma bandana vermelha. As mangas arregaçadas mostravam braços bronzeados, competentes. No cinto de imitação de couro, ela carregava uma faca, uma unidade de telefone de campanha, um pacote de alimentos e água. No antebraço moreno à mostra, ele notou uma tatuagem. CAVEAT EMPTOR, estava escrito. Perguntou-se o que significaria.

– Esta é Pat – disse G. G. Ashwood, o braço, com ostensiva familiaridade, em torno da cintura da garota. – O sobrenome não importa. – Robusto e inchado, usando o poncho de mohair habitual, chapéu de feltro cor de damasco, meias de esqui com estampa de losangos e sapatilhas de carpete, avançou na direção de Joe Chip, a presunção afetada do sorriso irradiando-se de cada molécula do corpo. Ele encontrara algo valioso ali e pretendia tirar o máximo proveito. – Pat, este é o examinador de tipo elétrico de primeira linha da empresa, altamente qualificado.

Com toda tranquilidade, a garota perguntou a Joe Chip:

– É você que é elétrico? Ou os seus testes?

– Nós alternamos – disse Joe. Ele sentia, vindo de toda parte, o miasma do condapto que carecia de faxina. Dali emanava o espectro da bagunça e do entulho, e ele sabia que Pat já havia percebido. – Sente-se – disse sem jeito. – Tome uma xícara de café de verdade.

– Que luxo – disse Pat, sentando-se à mesa da cozinha. Por reflexo, arrumou a pilha de jornais da semana numa pilha mais organizada. – Como é que pode comprar café de verdade, senhor Chip?

G. G. Ashwood disse:

– Joe recebe um horror de dinheiro. A firma não poderia operar sem ele. – Estendeu a mão e pegou um cigarro do maço que estava em cima da mesa.

– Devolve – disse Joe Chip. – Já estou quase sem, e usei o resto do meu último selo verde de ração no café.

– Eu paguei a porta – observou G. G. E ofereceu o maço para a garota. – Joe gosta de fazer cena, não liga. Tipo, olha como ele deixa o condapto. Mostra como é criativo. Todos os gênios vivem assim. Cadê seu equipamento de teste, Joe? Estamos perdendo tempo.

Para a garota, Joe disse:

– Você está vestida de um jeito estranho.

– Eu faço a manutenção das linhas de vidfones da subsuperfície do Kibbutz de Topeka – disse Pat. – Só as mulheres podem ter empregos que envolvam trabalho manual nesse kibbutz em particular.

Foi por isso que me candidatei à vaga de lá, em vez do Kibbutz de Wichita Falls. – Seus olhos negros brilhavam de orgulho.

Joe disse:

– Essa inscrição no seu braço, essa tatuagem. Isso é hebraico?

– Latim – seu olhar disfarçava o divertimento. – Nunca vi um condapto com tanto lixo amontoado. Você não tem alguém pra cuidar da casa?

– Os especialistas em eletricidade não têm tempo para frescuras – disse G. G. Ashwood, irritado. – Olha, Chip, os pais dessa menina trabalham para Ray Hollis. Se soubessem que está aqui, fariam uma lobotomia frontal nela.

Para a garota, Joe Chip disse:

– Eles não sabem que você tem um talento de oposição?

– Não. – Ela balançou a cabeça. – Na verdade, eu também não entendia esse talento até o seu olheiro sentar comigo na cantina do kibbutz e me mostrar. Talvez seja verdade. – Ela deu de ombros. – Talvez não. Ele disse que você poderia me mostrar uma prova objetiva, com a sua bateria de testes.

– Como você se sentiria se os testes mostrassem que tem o talento?

Refletindo, Pat disse:

– Parece uma coisa tão... negativa. Eu não faço nada. Não faço objetos mexerem, não transformo pedras em pão, nem dou à luz sem fecundação ou reverto processos patológicos em pessoas doentes. Nem leio mente. Nem vejo o futuro, nenhum talento comum do tipo. Só anulo a habilidade de outra pessoa. Parece... – Ela gesticulou. – Bestificante.

– Como fator de sobrevivência da raça humana – explicou Joe –, é tão útil quanto os talentos psi. Especialmente para nós, Padrões. O fator antipsi é uma restauração natural do equilíbrio ecológico. Um inseto aprende a voar, então outro aprende a construir uma teia para prendê-lo. Isso é o mesmo que não saber voar? Os mariscos desenvolveram conchas duras para se protegerem. Portanto, pássaros aprenderam a voar com o marisco para o alto e largá-lo numa rocha. Nesse sentido, você é uma forma de vida predadora para os Psis, e os Psis são formas de vida que têm como presa os Padrões. Isso faz de você uma amiga da classe dos Padrões. Equilíbrio, o ciclo completo, predador e presa. Parece ser um sistema eterno, e, francamente, não vejo como poderia ser melhorado.

– Eu poderia ser considerada uma traidora – disse Pat.

– Isso a incomoda?

– Me incomoda que as pessoas se tornem hostis com relação a mim. Mas acho que não se pode viver muito tempo sem despertar hostilidades. Não se pode agradar todo mundo, porque as pessoas querem coisas diferentes. Agrade a um e estará desagradando a outro.

Joe disse:

– Qual é o seu antitalento?

– É difícil explicar.

– É como eu disse – disse G. G. Ashwood –, é único. Nunca ouvi falar nisso antes.

– Que talento psi ele neutraliza? – Joe perguntou à garota.

– Precog – respondeu Pat. – Acho. – Ela acenou para G. G. Ashwood, cujo sorriso afetado de entusiasmo não se desfizera. – Seu observador, o senhor Ashwood, me explicou. Eu sabia que fazia algo esquisito. Sempre tive períodos estranhos na minha vida, começou quando tinha seis anos. Nunca contei aos meus pais, porque sentia que ia desagradá-los.

– Eles são precogs? – Joe perguntou.

– Sim.

– Está certa. Não teria agradado. Mas se você usasse seu talento perto deles – uma vez que fosse –, eles saberiam. Não desconfiavam? Você não interferia na habilidade deles?

Pat disse:

– Eu... – e gesticulou. – Acho que cheguei a interferir, mas eles não sabiam. – Seu rosto demonstrava confusão.

– Deixa eu explicar – disse Joe – como os antiprecogs geralmente funcionam. Como funcionam, na verdade, em todos os casos de que temos conhecimento. O precog vê uma variedade de futuros, dispostos lado a lado, como os favos de uma colmeia. Para ele, um desses futuros possui uma luminosidade maior, e é o escolhido. Uma vez que o tenha escolhido, o antiprecog não pode fazer nada. O antiprecog deve estar presente quando o precog está no processo de decisão, não depois. O antiprecog faz que todos os futuros pareçam igualmente reais para o precog. Ele aborta o talento do outro de escolher. Um precog percebe de forma instantânea quando há um antiprecog por perto, porque toda a sua relação com o futuro é alterada. No caso dos telepatas, uma diminuição da capacidade semelhante...

– Ela volta no tempo – disse G. G. Ashwood.

Joe ficou olhando para ele.

– Volta no tempo – repetiu G. G., saboreando as palavras. Seus olhos lançavam raios cheios de significados para todos os lados da cozinha de Joe Chip. – O precog afetado por ela continua vendo um futuro predominante, como você disse, a possibilidade mais luminosa. E ele a escolhe e acerta. Mas por que acerta? Porque esta garota... – ele encolhe os ombros na direção dela. – Pat controla o futuro. A única possibilidade luminosa é luminosa porque ela foi ao passado e a modificou. Ao modificá-la, muda o presente, que inclui o precog. Ele é afetado sem saber, e seu talento parece funcionar, quando, na verdade, não funciona. Então, essa é uma vantagem do seu antitalento sobre os outros talentos antiprecog. O outro – e maior – é que ela consegue cancelar a decisão do precog *depois de tomada*. Ela pode entrar na situação mais tarde, e esse problema sempre nos atrapalhou, como você sabe. Se não entrássemos lá no começo, não conseguíamos fazer nada. De certa forma, nunca podíamos abortar de fato a habilidade do precog como fazíamos com os outros, certo? Isso não é o ponto fraco dos nossos serviços? – Ele encarou Joe Chip com expectativa.

– Interessante – disse Joe, de imediato.

– Caramba... "interessante"? – G. G. Ashwood se agitou, indignado. – É o maior antitalento que já surgiu até hoje!

Em voz baixa, Pat disse:

– Eu não volto no tempo. – Ela ergueu o olhar, encarou Joe Chip, meio se desculpando, meio revelando agressividade. – Eu faço algo, mas o senhor Ashwood aumentou a coisa para fora das proporções da realidade.

– Posso ler a sua mente – G. G. disse a ela, parecendo um pouco ofendido. – Sei que é capaz de mudar o passado, já fez isso.

– Posso mudar o passado, mas não *entro* no passado. Não viajo no tempo, como quer fazer o seu examinador pensar.

– Como você muda o passado? – perguntou Joe.

– Eu penso nele. Num aspecto específico, como um incidente ou algo que alguém disse. Ou alguma coisinha que aconteceu e que eu não queria que tivesse acontecido. A primeira vez que fiz isso, quando criança...

– Quando tinha seis anos – interrompeu G. G. – e morava em Detroit com os pais, claro, quebrou uma estátua de cerâmica antiga que o pai apreciava.

– Seu pai não previu isso? – Joe perguntou. – Com a habilidade de precog?

– Ele previu – respondeu Pat – e me deixou de castigo uma semana antes de eu quebrar a estátua. Mas disse que era inevitável. Você sabe como é o talento precog: conseguem prever, mas não mudar nada. Então, depois que a estátua quebrou de fato... depois que eu a quebrei, devo dizer... fiquei pensando nisso, lembrei que na semana anterior não tinha comido nenhuma sobremesa depois do jantar e tinha que ir para a cama às cinco. Pensei, meu Deus... ou qualquer coisa que uma criança diga... não existe um jeito de fazer com que esses fatos desastrosos possam ser evitados? A habilidade precog do meu pai não parecia tão espetacular para mim, já que ele não podia alterar eventos. Ainda sinto isso, uma espécie de desprezo. Passei um mês usando a força de vontade para tentar fazer que a maldita estátua voltasse a ficar inteira. Na minha mente, ficava voltando ao momento antes de ela ter quebrado, imaginando como era sua aparência... o que era terrível. Então, uma manhã, ao acordar... tinha até sonhado com ela à noite... lá estava ela. Como era antes. – Tensa, ela se inclinou para Joe Chip. Falava num tom impetuoso, determinado. – Mas nem meu pai nem minha mãe notaram qualquer coisa. Parecia perfeitamente normal para eles que a estátua estivesse inteira. Achavam que ela sempre estivera assim. Eu era a única que lembrava. – Ela sorriu, voltou a se recostar na cadeira, pegou mais um cigarro dele no maço e acendeu.

– Vou pegar meus equipamentos de teste no carro – disse Joe, encaminhando-se para a porta.

– Cinco centavos, por favor – a porta disse, quando ele pegou na maçaneta.

– Paga a porta – disse a G. G. Ashwood.

Depois de ter levado todos os aparelhos que pôde carregar do carro ao condapto, mandou o observador da firma dar o fora.

– O quê? – disse G. G., surpreso. – Mas eu a encontrei. A recompensa é minha. Passei quase dez dias seguindo o campo que levava a ela. Eu...

Joe o interrompeu:

– Não posso testá-la com o seu campo presente, como você sabe muito bem. Campos de talento e antitalento deformam um ao outro. Se não fosse assim, não estaríamos neste ramo de negócios. – Ele estendeu a mão quando G. G. se levantou, aborrecido. – E deixa umas moedas pra mim. Pra eu e ela conseguirmos sair daqui.

– Tenho trocado – murmurou Pat. – Na minha bolsa.

– Você pode medir as forças que ela cria – disse G. G. – pelas perdas do meu campo. Já te vi fazer assim centenas de vezes.

Joe foi breve:

– Este caso é diferente.

– Não tenho mais nenhuma moeda – disse G. G. – Não posso sair.

Olhando para Joe, depois para G. G., Pat disse:

– Pega uma das minhas. – Ela jogou para G. G. a moeda, que ele apanhou, uma expressão de espanto no rosto. Depois o espanto, aos poucos, mudou para mau humor atormentado.

– Por essa eu não esperava – ele disse, ao depositar os cinco centavos na fenda da porta. – De vocês dois – resmungou ao fechar a porta. – Eu a descobri. Esse negócio é cruel mesmo, quando... – Sua voz foi ficando distante quando a porta bateu. Depois houve silêncio.

De imediato, Pat disse:

– Quando o entusiasmo dele acaba, não sobra muita coisa.

– Ele está bem – disse Joe, com um sentimento habitual: culpa. Mas não muita. – De todo modo, fez a parte dele. Agora...

– Agora é a sua vez – disse Pat. – Por assim dizer. Posso tirar as botas?

– Claro. – Ele começou a montar seu equipamento de testes, verificando os tambores, o fornecimento de energia. Iniciou movimentos experimentais com cada agulha, liberando oscilações de corrente específicas e registrando o efeito.

– Chuveiro? – ela perguntou enquanto colocava as botas arrumadas fora da passagem.

– Vinte e cinco centavos – ele murmurou. – Custa vinte e cinco centavos. – Ele olhou rapidamente e viu que ela começara a desabotoar a blusa. – Não tenho uma moeda de vinte e cinco.

– No kibbutz, tudo é de graça.

– De graça! – Ele olhou fixamente para ela. – Isso não é economicamente viável. Como pode funcionar por esse princípio? Por mais de um mês?

Ela continuou, imperturbável, a desabotoar a blusa.

– Nossos salários são depositados, e julga-se que fizemos nosso trabalho. O agregado de nossos ganhos garante as despesas do kibbutz como um todo. Na verdade, o Kibbutz de Topeka apresenta lucro há vários anos. Nós, enquanto grupo, depositamos mais do que retiramos. – Depois de desabotoar a blusa, ela a colocou sobre as costas da cadeira em que estava sentada. Sob a blusa azul de tecido rústico, não usava nada, e ele percebeu seus seios: duros e altos, bem sustentados pelos músculos definidos dos ombros.

– Tem certeza de que quer fazer isso? – ele disse. – Tirar a roupa?

– Você não se lembra?

– Não lembro o quê?

– Eu não ter tirado a roupa. Em outro presente. Você não gostou muito, então apaguei aquilo. Daí, eu fazer isto. – Ela se levantou com leveza.

– O que fiz – ele perguntou, com cuidado – quando você não tirou a roupa? Me recusei a fazer o teste?

– Resmungou algo sobre o senhor Ashwood ter superestimado meu antitalento.

– Não trabalho assim. Não faço isso.

– Olha. – Curvando-se, os seios balançando para a frente, ela remexeu no bolso da blusa, tirou um papel dobrado e entregou a ele. – Do presente anterior, o que eu aboli.

Ele leu, leu a sua avaliação de uma linha no final.

– Campo antipsi gerado: impróprio. Abaixo do padrão do início ao fim. Nenhum valor contra as categorias de precogs em existência no momento. – E depois o código que ele utilizava, um círculo dividido com um traço. *Não contratar*, significava o símbolo. E só ele e Runciter sabiam disso. Nem mesmo os observadores sabiam o significado do símbolo, então Ashwood não poderia ter lhe contado. Em silêncio, devolveu o papel a ela. Ela o dobrou novamente e pôs de volta no bolso da blusa.

– Você precisa me testar? Depois de ter visto isso?

– Tenho um procedimento de praxe – disse Joe. – Seis índices que...

– Você é um pequeno burocrata ineficaz e endividado que não consegue sequer juntar moedas suficientes para pagar a porta para deixá-lo sair do seu condapto. – O tom, neutro, porém devastador, ressoou nos ouvidos dele. Ele se sentiu endurecer, estremecer e ruborizar violentamente.

– Este é um momento ruim. Vou me recuperar financeiramente em pouco tempo. Posso conseguir um empréstimo. Da firma, se necessário. – Ele se levantou sem firmeza, pegou duas xícaras e dois pires, colocou o café da cafeteira. – Açúcar? Leite?

– Leite – disse Pat, ainda de pé, descalça, sem a blusa.

Ele pôs a mão na maçaneta da geladeira para pegar uma caixa de leite.

– Dez centavos, por favor – disse a geladeira. – Cinco centavos para abrir minha porta, cinco centavos pelo leite integral.

– Não é leite integral – ele disse. – É desnatado. – Ele continuou a puxar, em vão, a porta da geladeira. – Só desta vez. Juro por Deus que te pago depois. Hoje à noite.

– Toma – disse Pat. Ela empurrou uma moeda de dez centavos sobre a mesa, na direção dele. – Ela deveria receber dinheiro – disse, enquanto o via colocar a moeda na abertura da geladeira. – A mulher que cuida da casa. Você não cumpre com sua parte mesmo, não? Eu soube quando o senhor Ashwood...

– Não é – ele se irritou – sempre assim.

– Você quer que eu o livre dos seus problemas, senhor Chip? – As mãos nos bolsos da calça jeans, ela o observava impassível, sem nenhuma emoção encobrindo o rosto. Somente alerta. – O senhor sabe que posso. Sente-se e escreva seu relatório de avaliação a meu respeito. Esqueça os testes. Meu talento é único mesmo. Não pode medir o campo que produzo. Ele está no passado, e o senhor está me testando no presente, que simplesmente ocorre como consequência automática. Concorda?

– Deixa eu ver a folha de avaliação que está na sua blusa. Quero ver mais uma vez. Antes de decidir.

Ela retirou mais uma vez da blusa o papel amarelo dobrado. Passou-o calmamente por cima da mesa para ele, que releu. Minha letra, disse a si mesmo. Sim, é verdade. Ele o devolveu e, do conjunto de itens de teste, pegou uma folha nova, em branco, do mesmo papel amarelo familiar.

Escreveu o nome dela, em seguida, resultados de teste espúrios e extraordinariamente elevados. Depois, por fim, suas conclusões. Suas novas conclusões.

"Possui poder inacreditável. Campo antipsi de alcance único. Provavelmente capaz de anular qualquer conjunto de precogs imaginável." Depois disso, rabiscou um símbolo: desta vez, duas cruzes, ambas sublinhadas. Pat, de pé atrás dele, observava enquanto escrevia. Ele sentiu sua respiração no pescoço.

– O que significam as duas cruzes sublinhadas?

– Contrate-a – disse Joe. – A qualquer preço.

– Obrigada. – Ela enfiou a mão na bolsa, retirou um punhado de notas de pós-cred, escolheu uma e deu a ele. A maior. – Isso irá ajudá-lo com as despesas. Não pude lhe dar da outra vez, antes de sua avaliação oficial de mim. O senhor teria cancelado quase tudo, e teria morrido pensando que eu o subornei. No fim das contas, teria até mesmo concluído que não tenho nenhum talento opositor. – Ela então abriu o zíper da calça e terminou de se despir de forma rápida e furtiva.

Joe Chip examinou o que havia escrito, sem olhar para ela. As cruzes sublinhadas não significavam o que havia dito a ela. Significavam: Cuidado com essa pessoa. É uma ameaça para a empresa. É perigosa.

Ele assinou o teste, dobrou e passou para ela. Ela o guardou de imediato na bolsa.

– Quando posso trazer minhas coisas para cá? – ela perguntou, ao seguir para o banheiro. – Considero o lugar meu a partir de agora, uma vez que já lhe paguei o que deve corresponder a praticamente o aluguel do mês inteiro.

– Quando quiser.

O banheiro disse:

– Cinquenta centavos, por favor. Antes de ligar a água.

Pat voltou à cozinha para pegar a moeda na bolsa.

Novo e extraordinário molho de salada Ubik. O sabor especial não é nem italiano nem francês, mas inteiramente novo e diferente, e está despertando o mundo. Desperte para Ubik e seja extraordinário! Seguro, se consumido conforme instruções.

De volta a Nova York mais uma vez, concluída sua viagem ao Moratório Entes Queridos, Glen Runciter pousou, a bordo de uma impressionante limusine alugada, silenciosa e totalmente elétrica, no teto da instalação central da Runciter e Associados. Um deslizador descendente depositou-o com presteza em seu escritório no quinto andar. De imediato – às nove e meia da manhã, horário local – sentou-se na sólida cadeira giratória de nogueira e couro autênticos, diante de sua mesa, falando ao vidfone com o departamento de relações públicas.

– Tamish, acabo de voltar de Zurique. Deliberei com Ella. – Runciter encarou fixamente sua secretária, que acabara de entrar, cautelosa, em seu enorme escritório pessoal, fechando a porta em seguida. – O que quer, senhora Frick?

A frágil e acanhada senhora Frick, o rosto marcado por manchas de cor artificial para compensar o aspecto antigo e cinzento como um todo, fez um gesto de negação.

– Tudo bem, senhora Frick – ele disse com paciência. – O que foi?

– Cliente nova, senhor Runciter. Acho que o senhor deveria falar com ela. – A senhora Frick avançou na direção dele, recuando ao mesmo tempo, uma manobra que apenas ela era capaz de realizar. Foram necessárias dez décadas de prática.

– Assim que eu sair do vidfone – Runciter determinou. Para o outro interlocutor, disse: – Com que frequência nossos anúncios são veiculados no horário nobre da TV planetária? Ainda a cada três horas?

– Não exatamente, senhor Runciter. Ao longo de um dia inteiro, os anúncios de prudência aparecem, em média, a cada três horas nos canais de UHF, mas o custo do horário nobre...

– Quero que apareçam de hora em hora – interrompeu Runciter. – Ella acha que seria melhor. – Na viagem de volta ao Hemisfério Ocidental, ele havia decidido de qual dos anúncios gostava mais. – Sabe aquela decisão recente do Supremo Tribunal, dizendo que o marido pode assassinar a esposa legalmente, caso prove que ela não queria conceder o divórcio sob nenhuma circunstância?

– Sim, a chamada...

– Não me importa como é chamada, o que importa é que já fizemos um anúncio de TV baseado nisso. Como é que é mesmo? Fiquei tentando lembrar.

Tamish disse:

– Tem um homem, um ex-marido, sendo julgado. Primeiro vem a tomada do júri, depois do juiz, depois a câmera abre no promotor público, interrogando o ex-marido. Ele diz: "Parece, senhor, que sua esposa...".

– Isso mesmo – disse Runciter com satisfação. Ele havia auxiliado a escrever o roteiro original do anúncio. Em sua opinião, mais uma manifestação da incrível versatilidade de sua mente.

– Mas o pressuposto não é – disse Tamish – que os psis desaparecidos estejam trabalhando em grupo para uma das maiores empresas de investimento? Sabendo que provavelmente estão mesmo, talvez pudéssemos dar ênfase a um de nossos comerciais para a área de negócios. Por acaso se lembra deste, senhor Runciter? Mostra o marido voltando do trabalho para casa ao fim do dia. Ele ainda está com uma faixa amarelo-vibrante na cintura, avental traspassado, calça justa apertada nos joelhos e quepe estilo militar com viseira. Ele se senta no sofá da sala, exausto, começa a tirar uma das luvas, depois se curva para a frente, franze a testa e diz: "Nossa, Jill, queria saber o que há de errado comigo ultimamente. Às vezes, cada vez com mais frequência, quase todo dia, o menor comentário no escritório me faz pensar que, bom, alguém está lendo a minha mente!" Então ela diz: "Se você está preocupado com isso, por que não entramos em contato com a agência de prudência mais próxima? Eles vão nos alugar um inercial por um preço que caiba no nosso orçamento, e aí você vai se sentir de novo como era antes!" Depois, surge um enorme sorriso no rosto do marido, e ele diz: "Nossa, essa sensação incômoda já está...".

Aparecendo mais uma vez à porta do escritório de Runciter, a senhora Frick disse:

– Por favor, senhor Runciter. – Seus óculos tremeram.

Ele fez que sim com a cabeça.

– Falo com você mais tarde, Tamish. De qualquer maneira, entre em contato com as redes de TV e encaminhe nosso material para um esquema de horário, conforme indiquei. – Ele desligou, depois observou a senhora Frick em silêncio. – Tive que ir até a Suíça – disse, em seguida – e despertar Ella para conseguir essa informação, esse conselho.

– O senhor Runciter está disponível, senhorita Wirt. – A secretária foi para o lado, hesitante, e uma mulher rechonchuda rolou para dentro do escritório. Sua cabeça quicava como uma bola de basquete. O grande corpo arredondado impulsionou-se na direção de uma cadeira, e lá, de uma só vez, ela se sentou, as pernas estreitas dependuradas. Usava um casaco de seda de aranha fora de moda, parecendo um inseto amável, enrolado num casulo não tecido por si mesmo. Dava a impressão de estar encaixotada. No entanto, sorria. Parecia totalmente à vontade. Quarenta e tantos anos, concluiu Runciter. Passou de qualquer fase em que possa ter tido um corpo esbelto.

– Ah, senhorita Wirt – ele disse. – Não posso lhe conceder muito tempo. Talvez deva ir direto ao assunto. Qual é o problema?

Com uma voz suave, alegre e incompatível, a senhorita Wirt disse:

– Estamos tendo alguns problemas com os telepatas. Achamos, não temos certeza. Mantemos um telepata próprio, que conhecemos e que recebeu ordens para circular entre nossos funcionários. Ao encontrar qualquer Psi, telepata ou precog, precisa informar... – Ela encarou Runciter com olhos vivos – o meu diretor. Na semana passada, ele passou tal informação. Temos uma avaliação, feita por uma firma particular, sobre a capacidade produtiva de diversas agências de prudência. A sua foi considerada a mais eficiente.

– Sei disso – Runciter disse. Ele vira a avaliação, na verdade. Até então, ela lhe trouxera poucos negócios de maior importância, se algum. Mas agora aparecia este. – Quantos telepatas seu homem encontrou? Mais de um?

– Pelo menos dois.

– Possivelmente mais?

– Possivelmente – a senhorita Wirt assentiu com a cabeça.

– Operamos da seguinte forma: primeiro, medimos o campo psi de modo objetivo, para sabermos com o que estamos lidando. Isso geralmente leva de uma semana a dez dias, dependendo do...

A senhorita Wirt interrompeu:

– Meu patrão quer que o senhor entre com seus inerciais imediatamente, sem a formalidade demorada e cara da realização dos testes.

– Não saberíamos quantos inerciais enviar. Nem de que tipo. Nem onde posicioná-los. Neutralizar uma operação psi é algo que deve ser feito de maneira sistemática. Não podemos usar uma varinha de condão ou espalhar vapores tóxicos pelos cantos. Temos que contrabalançar o pessoal de Hollis indivíduo por indivíduo, um antitalento para cada talento. Se Hollis entrou em suas operações, o fez da mesma forma: Psi por Psi. Um entra no departamento pessoal e contrata outro. Essa pessoa monta um departamento, ou fica responsável por um departamento já existente, para requisitar outros... às vezes, demora meses. Não podemos desfazer em vinte e quatro horas o que levaram um longo período de tempo para construir. A grande atividade dos Psis é como um mosaico. Não podem se dar ao luxo de ser impacientes, nós também não.

– Meu patrão – disse a senhorita Wirt, animada – está impaciente.

– Falarei com ele – Runciter estendeu a mão para o vidfone. – Quem é ele e qual o seu número?

– O senhor vai resolver tudo através de mim.

– Talvez eu simplesmente não resolva nada. Por que não quer me dizer quem representa? – Ele apertou um botão oculto, instalado sob a beira da mesa, que traria sua telepata residente, Nina Freede, para o escritório ao lado, de onde ela faria o monitoramento dos processos mentais da senhorita Wirt. Não posso trabalhar com essas pessoas, Runciter disse a si mesmo, se não souber quem são. Pode até ser que o próprio Ray Hollis esteja tentando me contratar.

– Está sendo inflexível – disse a senhorita Wirt. – Só estamos pedindo velocidade. E só estamos pedindo porque precisamos. O que posso lhe dizer é o seguinte: a nossa operação que foi invadida não é na Terra. Do ponto de vista de ganho potencial, assim como de investimento, é nosso projeto principal. Meu diretor aplicou nele todos os seus recursos negociáveis. Ninguém deve saber disso. O nosso maior choque, ao encontrar os telepatas no local...

– Com licença – Runciter levantou-se e foi até a porta do escritório. – Descobrirei quantas pessoas temos por aqui disponíveis para essa conexão. – Ao fechar a porta, procurou em cada um dos escritórios adjacentes até encontrar Nina Freede. Estava sentada sozinha numa pequena sala ao lado, fumando, concentrada. – Descubra quem representa – disse a ela. – E depois descubra sua posição na hierarquia. – Temos 38 inerciais inativos, refletiu. Talvez possamos jogar todos eles, ou a maioria, nisso. Talvez consiga finalmente descobrir onde se enfiaram os talentos espertalhões de Hollis. O bando todo.

Ele retornou ao próprio escritório e se sentou novamente atrás da mesa.

– Se os telepatas invadiram sua operação, senhorita Wirt – disse, com os dedos entrelaçados diante de si –, vocês precisam encarar e aceitar o fato de que a operação, como tal, não é mais secreta. Independentemente de qualquer informação técnica específica que tenham conseguido. Então, por que não me contar qual é o projeto?

Hesitando, a senhorita Wirt disse:

– Não sei qual é o projeto.

– Nem onde está?

– Não – ela balançou a cabeça.

– Você sabe quem é o seu chefe?

– Trabalho para uma firma subsidiária que ele controla financeiramente. Sei quem é meu empregador imediato, o nome dele é Shepard Howard, mas nunca me disseram quem o senhor Howard representa.

– Se lhe fornecermos os inerciais que precisa, saberemos aonde serão enviados?

– Provavelmente, não.

– E se nunca os tivermos de volta?

– Por que não voltariam, depois que descontaminarem nossa operação?

– Os homens de Hollis são conhecidos por matar os inerciais enviados para neutralizá-los. É minha responsabilidade cuidar para que o meu pessoal esteja protegido. Não posso fazer isso se não souber onde estão.

O micro alto-falante escondido em sua orelha esquerda zumbiu, e Runciter ouviu a voz tênue e uniforme de Nina Freede, audível apenas para ele.

– A senhorita Wirt representa Stanton Mick. É sua assistente confidencial. Não existe ninguém chamado Shepard Howard. A parte fundamental do projeto em discussão fica em Luna. Tem a ver com a Techprise, instalações de pesquisa de Mick, cujo controle acionário está no nome da senhorita Wirt. Ela não sabe nenhum detalhe técnico. Mick não disponibiliza nenhuma avaliação científica, memorando ou relatório de andamento a ela, o que lhe causa enorme ressentimento. A partir da equipe de Mick, no entanto, ela conseguiu ter uma ideia geral da natureza do projeto. Supondo que seu conhecimento indireto seja preciso, o projeto lunar envolve um novo sistema de propulsão interestelar radical e de baixo custo, que se aproxima da velocidade da luz e que poderia ser alugado para qualquer grupo político ou etnológico moderadamente rico. A ideia de Mick é de que o sistema de propulsão tornará a colonização viável numa subestrutura básica de massa. Portanto, não mais um monopólio de governos específicos.

Nina Freede desligou, e Runciter recostou-se em sua cadeira giratória de couro e nogueira para refletir.

– O que está pensando? – A senhorita Wirt perguntou, animada.

– Estou me perguntando – disse Runciter – se vocês podem pagar por nossos serviços. Uma vez que não tenho nenhum dado de testes no qual me basear, posso apenas estimar quantos inerciais precisarão... mas a quantidade pode chegar a quarenta. – Ele disse isso sabendo que Stanton Mick poderia pagar um número ilimitado de inerciais, ou encontrar alguém que cobrisse as despesas.

– Quarenta – ecoou a senhorita Wirt. – Hum. É bastante mesmo.

– Quanto mais inerciais usarmos, mais rápido conseguiremos concluir o trabalho. Já que estão com pressa, introduziremos todos de uma vez. Se estiver autorizada a assinar um contrato de trabalho em nome do seu empregador – ele apontou um dedo firme e irredutível para ela, que não piscou – e puder pagar um adiantamento agora, provavelmente conseguiremos realizar o trabalho em setenta e duas horas. – Ele então a encarou, aguardando.

O micro alto-falante em sua orelha fez um ruído estridente.

– Como dona da Techprise, ela está completamente capacitada. Ela pode responder pela firma em até, e inclusive, seu valor total. Neste exato momento, está calculando quanto seria isso, se convertido com base no mercado de hoje. – Pausa. – Alguns bilhões de pós-creds, ela concluiu. Mas não quer fazer isso. Não gosta da ideia de se comprometer com um contrato e um adiantamento. Preferiria pedir para os advogados de Mick resolverem isso, mesmo que signifique alguns dias de atraso.

Mas eles têm pressa, refletiu Runciter. Pelo menos, é o que dizem.

O micro alto-falante disse:

– Ela tem uma intuição de que você sabe, ou imagina, quem ela representa. E teme que eleve o preço baseado nisso. Mick conhece a própria reputação. Ele se considera a pessoa mais visada por vigaristas em todo o mundo, por isso negocia desta forma: usando alguém ou alguma firma como testa-de-ferro. Por outro lado, querem o máximo de inerciais possível. E estão conformados com o fato de que isso tem um custo imenso.

– Quarenta inerciais – disse Runciter, indiferente. Riscou com a caneta uma pequena folha de papel em branco, em sua mesa apenas para tais propósitos. – Vamos ver. Seis vezes cinquenta vezes três. Vezes quarenta.

A senhorita Wirt, ainda dando seu sorriso vidrado e feliz, aguardou com uma tensão visível.

– Eu me pergunto – ele murmurou – quem teria pago Hollis para colocar seus empregados no meio do projeto.

– Isso não importa de fato, não é? O que importa é que estão lá.

– Às vezes, nunca se descobre. Mas, como dizem, é o mesmo quando as formigas encontram o caminho para a sua cozinha. Você não pergunta por que estão lá, apenas começa o trabalho de fazer com que saiam. – Ele chegara a um valor de custo.

Era enorme.

* * *

– Terei que pensar – disse a senhorita Wirt. Ela parou de olhar para o orçamento escandaloso e se levantou pela metade. – Tem algum lugar, um escritório, em que possa ficar sozinha? E possivelmente ligar para o senhor Howard?

Runciter, também se levantando, disse:

– É raro para qualquer organização de prudência ter tantos inerciais disponíveis de uma só vez. Se esperar, a situação vai mudar. Portanto, se quiser tê-los, é melhor agir.

– E o senhor acha que seriam realmente necessários *tantos* inerciais assim?

Levando a senhorita Wirt pelo braço, ele a conduziu do escritório até o fim do corredor. Até a sala do mapa da firma.

– Isto mostra – disse a ela – a localização de nossos inerciais, mais os inerciais de outras organizações de prudência. Além disso, mostra... ou tenta mostrar... a localização de todos os Psis de Hollis.

Ele contou sistematicamente todas as bandeiras de identificação de psis que, uma a uma, haviam sido retiradas do mapa. Ao final, segurou a última: a de S. Dole Melipone. – Agora sei onde estão – disse à senhorita Wirt, que perdeu o sorriso mecânico ao compreender o significado das bandeiras não posicionadas no mapa. Segurando sua mão úmida, ele depositou a bandeira de Melipone entre os dedos suados da mulher e os fechou em volta dele. – A senhorita pode ficar aqui e meditar. Tem um vidfone ali... – apontou. – Ninguém irá incomodá-la. Estarei em meu escritório.

Ele deixou a sala do mapa, pensando: na verdade, não sei se é lá que estão todos aqueles Psis desaparecidos. Mas é possível. E... Stanton Mick abrira mão do procedimento de rotina de realizar um exame objetivo. Portanto, se acabar contratando inerciais dos quais não precisava, a culpa será dele mesmo.

Quanto ao aspecto jurídico, a Sociedade exigiu que a Runciter e Associados a notificasse de que alguns dos Psis desaparecidos – se não todos – tinham sido encontrados. Mas ele tinha cinco dias para emitir a notificação... e decidiu esperar até o último dia. Esse tipo de oportunidade de negócios, refletiu, acontece apenas uma vez na vida.

– Senhora Frick – ele disse, entrando na antessala. – Datilografe um contrato de trabalho especificando quarenta... Ele parou.

Do outro lado da sala havia duas pessoas sentadas. O homem, Joe Chip, parecia fatigado, de ressaca, e mais mal-humorado que de costume... estava, na verdade, como quase sempre, exceto pelo semblante carregado. Mas ao lado dele se encontrava uma garota de pernas longas e cabelos e olhos negros e brilhantes, perturbadores. Sua beleza intensa e concentrada iluminava aquela parte da sala, incendiando-a com um fogo violento e obstinado. Era como se, ele pensou, a garota resistisse a ser bela, não gostasse da suavidade da própria pele e do aspecto sensual, intumescido e dissimulado dos lábios.

Ela parece, pensou, ter acabado de sair da cama. Ainda desarrumada. Ressentida com o dia. Na verdade, com todos os dias.

Andando na direção dos dois, Runciter disse:

– Deduzo que G. G. tenha voltado de Topeka.

– Esta é Pat – disse Joe Chip. – Sem sobrenome. – Ele indicou Runciter e depois suspirou. Tinha um aspecto peculiar de derrota pairando sobre si e, ainda assim, não aparentava ter desistido. Um sinal vago e dissonante de vitalidade parecia espreitar por trás da resignação. Para Runciter, Joe Chip poderia estar muito perto de ser acusado de simular uma decadência espiritual... A evidência definitiva, no entanto, não estava lá.

– Anti o quê? – Runciter perguntou à garota, que permanecia sentada, esparramada na cadeira, com as pernas estendidas.

Ela murmurou:

– Anticetogênese.

– O que significa?

– Prevenção da cetose – ela disse num tom trivial. – Como a que se faz pela administração de glicose.

Para Joe, Runciter disse:

– Explique.

– Dê ao senhor Runciter sua folha de teste.

Sentando-se direito, ela pegou a bolsa, remexeu nela e retirou a folha amarela de pontuação de Joe, amassada. Desdobrou o papel, olhou rapidamente e passou para Runciter.

– Pontuação impressionante – disse Runciter. – Ela é tão boa assim? – ele perguntou e, em seguida, viu as duas cruzes sublinhadas, o símbolo gráfico de acusação. Ou, na verdade, de traição.

– É a melhor até hoje – disse Joe.

– Entre no meu escritório – Runciter disse à garota. Ele foi à frente, e os dois o seguiram.

A gorda senhorita Wirt, sem fôlego e revirando os olhos, apareceu subitamente.

– Liguei para o senhor Howard – informou a Runciter. – Agora recebi suas instruções. – Ao dizer isso, notou Joe Chip e a garota chamada Pat. Hesitou por um instante e depois se antecipou: – O senhor Howard gostaria que os ajustes formais fossem feitos de imediato. Então, podemos prosseguir agora? Já o deixei a par da urgência, do fator tempo. – Ela deu seu sorriso artificial e decidido. – Os dois se importam de esperar? Meu assunto com o senhor Runciter é de natureza prioritária.

Olhando de relance para ela, Pat riu, um riso baixo e gutural de desprezo.

– Terá que esperar, senhorita Wirt – disse Runciter. Ele sentiu medo. Olhou para Pat, depois para Joe, e o medo se intensificou. – Sente-se, senhorita Wirt – ele indicou uma das cadeiras da antessala.

– Posso lhe dizer, senhor Runciter, exatamente quantos inerciais pretendemos obter. O senhor Howard acredita ser capaz de determinar nossas necessidades, nosso problema, de forma adequada.

– Quantos? – perguntou Runciter.

– Onze.

– Assinaremos o contrato em um instante. Assim que eu estiver livre. – Com sua mão grande e larga, ele conduziu Joe e a garota para dentro de seu escritório. Fechou a porta e sentou-se. – Eles nunca vão conseguir – disse a Joe. – Com onze. Ou quinze. Ou vinte. Especialmente não com S. Dole Melipone envolvido do outro lado. – Ele se sentia cansado. E apreensivo. – Esta é, como supus, a potencial estagiária que G. G. descobriu em Topeka? E você acredita que devemos contratá-la? Você e G. G. concordam nisso? Então, vamos contratá-la, naturalmente. – Talvez eu a entregue a Mick, pensou. Colocá-la entre os onze. – Ninguém conseguiu ainda me dizer a qual dos talentos psi ela se opõe.

– A senhora Frick disse que o senhor foi a Zurique – disse Joe. – O que Ella sugeriu?

– Mais anúncios. Na TV. De hora em hora. – Para o interfone, disse: – Senhora Frick, redija um acordo de emprego entre nós e uma contratada. Especifique o salário inicial que acordamos com o sindicato em dezembro passado. Especifique...

– Qual é o salário inicial? – Pat perguntou, a voz derramando uma desconfiança sarcástica de tipo infantil e vulgar.

Runciter a encarou.

– Eu nem sei o que você consegue fazer.

– É precog, Glen – Joe irritou-se. – Mas de um modo diferente. – Ele não desenvolveu o argumento. Parecia ter se enfraquecido, como um relógio movido a bateria dos velhos tempos.

– Ela está pronta para trabalhar? Ou é o caso de termos que treinar, trabalhar e esperar? Temos quase quarenta inerciais desocupados e vamos contratar mais um. Quarenta menos, suponho, onze. Trinta empregados desocupados. Não sei, Joe, não sei mesmo. Talvez tenhamos que demitir nossos olheiros. De todo modo, acho que encontrei o resto dos Psis de Hollis. Falo sobre isso com você mais tarde. – Para o interfone, disse: – Especifique que podemos demitir essa pessoa sem aviso prévio, sem indenização ou qualquer tipo de compensação. Ela também não terá o direito, nos primeiros noventa dias, a pensão, plano de saúde ou auxílio doença. – Para Pat, disse: – O salário inicial, em todos os casos, é de quatrocentos creds por mês, contando com vinte horas semanais. E você terá que se associar a um sindicato. O Sindicato dos Trabalhadores em Mineração, Siderurgia e Fundição.

Foram eles que registraram todos os funcionários de organizações de prudência há três anos. Não tenho nenhum controle sobre isso.

– Ganho mais – disse Pat – fazendo manutenção de relés de vidfones no Kibbutz de Topeka. Seu observador, o senhor Ashwood, disse...

– Nossos observadores mentem – disse Runciter. – E, além disso, não estamos legalmente obrigados a fazer nada do que dizem. Nenhuma organização de prudência está. – A porta do escritório abriu e a senhora Frick entrou, lentamente e sem firmeza, com o acordo em mãos. – Obrigado, senhora Frick – disse Runciter, recebendo os documentos. – Tenho uma esposa de vinte anos numa bolsa de gelo – disse a Joe e Pat. – Uma bela mulher que, quando fala comigo, é atropelada por um moleque esquisito chamado Jory, e então me vejo falando com ele, não com ela. Ella congelada em meia-vida e apagando aos poucos... e essa velha encarquilhada e exaurida de secretária para a qual tenho que olhar o dia todo. – Ele olhou fixamente para a garota, com seus cabelos negros e fortes, e sua boca sensual. Sentiu desejos infelizes surgirem, vontades nebulosas e sem sentido que levavam a lugar nenhum e voltavam vazias para ele, como se concluíssem um círculo geometricamente perfeito.

– Vou assinar – disse Pat, e pegou a caneta da escrivaninha.

5

Não vou participar do concurso de frug, Helen. Tô com o estômago revirado. Vou te dar um Ubik! Com Ubik, você retoma a essência das coisas. Ingerido conforme as orientações, Ubik acelera o alívio da cabeça e do estômago. Lembre-se: Ubik está apenas a segundos de distância. Evite o uso prolongado.

Durante os longos dias de inatividade forçada e artificial, a antitelepata Tippy Jackson dormia regularmente até o meio-dia. Um eletrodo implantado no cérebro estimulava o sono EREM – extremely *rapid eye movement*, movimento *extremamente* rápido dos olhos – perpetuamente, de modo que, enquanto estava aconchegada entre os lençóis de percal, tinha muito o que fazer.

Naquele momento em particular, seu estado onírico artificialmente induzido concentrava-se num funcionário mítico de Hollis, dotado de enormes poderes psiônicos. Todos os outros inerciais do Sistema Sol haviam desistido ou derretido até virar toicinho. Pelo processo de eliminação, a tarefa de neutralizar o campo gerado por aquela entidade sobrenatural havia recaído sobre ela.

– Não posso ser eu mesmo enquanto você estiver por perto – seu obscuro oponente informou. No rosto, uma expressão brutal de ódio formou-se, dando-lhe a aparência de um esquilo psicótico.

No sonho, Tippy respondeu:

– Talvez a sua definição de autossistema careça de limites autênticos. Você construiu uma estrutura de personalidade precária com base em fatores inconscientes sobre os quais não tem nenhum controle. Por isso, sente-se ameaçado por mim.

– Você não é funcionária de uma organização de prudência? – indagou o telepata de Hollis, olhando nervoso à sua volta.

– Se você é o talento estupendo que afirma ser – disse Tippy –, pode descobrir isso lendo minha mente.

– Não posso ler a mente de ninguém – disse o telepata. – Meu talento acabou. Deixarei você falar com meu irmão, Bill. Vem, Bill, fale com esta moça. Gostou dela?

Bill, mais ou menos parecido com o irmão telepata, disse:

– Gostei dela porque sou um precog, e ela não altera as minhas ações. – Ele arrastou o pé no chão e abriu um sorriso, revelando grandes dentes opacos, tão sem corte quanto uma pá. – "Eu, que privado sou da harmoniosa proporção, erro de formação, obra da natureza enganadora"... – Ele fez uma pausa, franzindo a testa. – Como é que é mesmo, Matt? – perguntou ao irmão.

– "...disforme, inacabado, lançado antes do tempo para este mundo que respira, quando muito meio feito" – disse Matt, o telepata que lembrava um esquilo, coçando o pelo com ar meditativo.

– Ah, é – Bill, o precog, concordou com a cabeça. – Lembrei. "E de tal modo imperfeito e tão fora de estação que os cães me ladram quando passo, coxeando, perto deles". De *Ricardo III* – esclareceu a Tippy. Os dois irmãos abriram um sorriso. Até os incisivos eram cegos. Como se sua dieta consistisse de sementes cruas.

Tippy perguntou:

– O que significa?

– Significa – Matt e Bill responderam em uníssono – que vamos pegar você.

O vidfone tocou, despertando Tippy.

Cambaleando grogue até o aparelho, atrapalhada por bolhas coloridas flutuantes, pestanejando, ergueu o fone e disse:

– Alô. – Nossa, já é tarde, pensou, ao ver o relógio. Estou me transformando num vegetal. O rosto de Glen Runciter surgiu na tela. – Olá, senhor Runciter – ela disse, mantendo-se fora do alcance do scanner. – Apareceu trabalho pra mim?

– Ah, senhora Jackson. Fico contente em encontrá-la. Um grupo está se formando sob a minha direção e de Joe Chip. Onze ao todo, uma tarefa importante para os escolhidos. Estamos examinando o histórico de todos. Joe acha que o seu parece ser bom, e tendo a concordar. Quanto tempo deve levar para vir até aqui? – A voz soava satisfatoriamente otimista, mas na pequena tela seu rosto parecia sobrecarregado e aflito.

Tippy disse:

– Para este, terei que viajar para...

– Sim, terá que fazer as malas – disse ele, em tom de repreensão. – Temos que estar sempre prontos e de malas feitas o tempo todo. É uma regra que jamais quero ver desrespeitada, especialmente num caso como este, em que o tempo é um fator importante.

– Minhas malas *estão* feitas. Estarei no escritório de Nova York em quinze minutos. A única coisa que tenho que fazer é deixar um bilhete para o meu marido, que está no trabalho.

– Bom, está bem – disse Runciter, parecendo preocupado. Provavelmente já estava lendo o próximo nome da lista. – Tchau, senhora Jackson. – Desligou.

Que sonho estranho, ela pensou enquanto desabotoava com pressa o pijama e corria de volta ao quarto, para pegar as roupas. De onde Bill e Matt disseram ser aquela poesia? *Ricardo III*, ela se lembrou, vendo mais uma vez em sua mente seus dentes grandes e rombudos, as cabeças sem forma, lembrando maçanetas, idênticas, com tufos de cabelo avermelhado crescendo feito erva daninha. Acho que nunca li *Ricardo III*, ela percebeu. Ou, se li, deve ter sido há anos, quando era criança.

Como você pode sonhar com versos de uma poesia que não conhece? Ela se perguntou. Talvez um telepata de verdade, não onírico, estivesse em contato comigo enquanto eu dormia. Ou um telepata e um precog trabalhando juntos, do modo como vi no sonho. Pode ser uma boa ideia perguntar ao nosso departamento de pesquisa se existe alguma chance, ainda que remota, de haver empregados de Hollis que sejam irmãos, chamados Matt e Bill.

Perplexa e irrequieta, começou a se vestir o mais rápido que podia.

Acendendo um palma-supremo Cuesta-Rey verde, autêntico de Havana, Glen Runciter recostou-se em sua cadeira nobre, apertou uma tecla do interfone e disse:

– Preencha um cheque de prêmio, senhora Frick. Nominal para G. G. Ashwood, no valor de cem pós-creds.

– Sim, senhor Runciter.

Ele observava G. G. Ashwood, que andava com uma inquietude maníaca de um lado para o outro do grande escritório com piso de madeira de lei genuína, no qual os pés pisavam fazendo um som irritante.

– Joe Chip não parece capaz de me dizer o que ela faz – disse Runciter.

– Joe Chip é um chapado – disse G. G.

– Como é que ela, essa tal de Pat, consegue voltar no tempo, e ninguém mais consegue? Aposto que esse talento não é novo. Vocês, observadores, é que devem ter deixado passar até agora. De qualquer modo, não tem lógica ela ser contratada por uma organização de prudência. É um talento, não um antitalento. Negociamos em...

– Como expliquei, e como Joe indicou no relatório de teste, ela tira os precogs do serviço.

– Mas isso é só um efeito colateral – Runciter refletiu mal-humorado. – Joe acha que ela é perigosa. Não sei por quê.

– Perguntou a ele por quê?

– Ele resmungou, do jeito que sempre faz. Joe nunca tem explicações, só palpites. Por outro lado, quer incluí-la na operação Mick. – Ele remexeu, revirou os documentos do departamento pessoal, reagrupando-os sobre a mesa. – Peça a Joe para vir aqui, para vermos se o nosso grupo de onze está formado. – Olhou o relógio. – Devem estar quase chegando. Vou dizer na cara do Joe que ele é louco de incluir essa tal de Pat Conley, já que ela é tão perigosa. Você não acha, G. G.?

– Tem uma coisa rolando entre eles.

– Que tipo de coisa?

– Um acerto sexual.

– Joe não tem acertos sexuais. Nina Freede leu a mente dele outro dia, e ele é pobre demais até para... – Ele parou de falar porque a porta do escritório abriu. A senhora Frick entrou vacilante, trazendo o cheque do prêmio de G. G. para ser assinado. – Eu sei por que ele quer que ela participe da operação Mick – Runciter disse, ao rabiscar a assinatura no cheque. – Para poder ficar de olho nela. Ele também vai. Vai medir o campo psi, a despeito do que o cliente pediu. Temos de saber o que vamos enfrentar. Obrigado, senhora Frick. – Ele a dispensou com um gesto e estendeu o cheque para G. G. Ashwood. – Digamos que a gente não meça o campo psi, e ele acabe sendo intenso demais para os nossos inerciais. Quem leva a culpa?

– Nós – disse G. G.

– Disse a eles que onze não eram suficientes. Estamos fornecendo o que temos de melhor. Estamos fazendo o máximo que podemos. Afinal, ter Stanton Mick como cliente é uma questão de grande importância para nós. Incrível como alguém tão rico e poderoso como Mick pode ter tanta falta de visão, ser tão avaro. Senhora Frick, Joe está aí fora? Joe Chip?

A senhora Frick disse:

– O senhor Chip está na antessala com outras pessoas.

– Quantas pessoas, senhora Frick? Dez ou onze?

– Eu diria mais ou menos esse número, senhor Runciter. Por aí.

Para G. G. Ashwood, Runciter disse:

– É o grupo. Quero vê-los, todos eles, juntos. Antes de partirem para Luna. – Para a senhora Frick, disse: – Mande-os entrar. – Deu uma tragada vigorosa em seu charuto verde.

Ela girou e saiu.

– Sabemos – disse Runciter a G. G. – que eles funcionam bem como indivíduos. Está tudo aqui, registrado em papel. – Ele chacoalhou os documentos sobre a mesa. – Mas, e juntos? Qual a força de um contracampo poliencefálico gerado por todos juntos? Pergunte-se isso, G. G. Essa é a pergunta a ser feita.

– Acho que o tempo dirá – disse G. G. Ashwood.

– Estou neste negócio há muito tempo. – Da antessala, as pessoas começaram a entrar em fila. – Esta é a minha contribuição à civilização contemporânea.

– Bem colocado – disse G. G. – O senhor é um policial preservando a privacidade humana.

– Sabe o que Ray Hollis diz sobre nós? Ele acha que estamos tentando fazer o relógio andar pra trás. – Runciter encarou os indivíduos que começavam a encher seu escritório. Eles se juntavam uns ao lado dos outros, nenhum deles falava. Esperavam por ele. Que bando mais misturado, pensou ele, com pessimismo. Uma garota magra feito um palito, de óculos e cabelos lisos amarelo-limão, usando um chapéu de cowboy, mantilha de renda preta e bermuda. Essa era Edie Dorn. Uma mulher morena, bonita, mais velha, de olhar traiçoeiro e perturbador, que usava um sári de seda, *obi* de náilon e meias soquetes. Francy alguma coisa, uma esquizofrênica de meio período que imaginava que seres sencientes de Betelgeuse pousavam, de vez em quando, no teto do seu prédio condapto. Um adolescente de cabelo lanoso, envolto numa nuvem de orgulho cínico e superioridade, com um vestido havaiano florido e calça de elastano. Este, Runciter nunca encontrara antes. E assim foi, cinco mulheres e – ele contou – cinco homens. Estava faltando alguém.

À frente de Joe Chip, a garota ardente e sombria, Patricia Conley, entrou. Era a décima primeira. O grupo todo havia aparecido.

– Veio rápido, senhora Jackson – ele disse à mulher de trinta e poucos anos, masculina e de cor arenosa, que usava uma calça de lã de vicunha sintética e um moletom cinza que já teve a estampa do retrato, agora desbotado, do rosto de Bertrand Lord Russell.

– Você teve menos tempo que qualquer outro, visto que foi a última a ser notificada por mim.

Tippy Jackson deu um sorriso sem energia e de cor arenosa.

– Alguns de vocês eu conheço – disse Runciter, levantando-se da cadeira e indicando, com a mão, que eles deveriam encontrar cadeiras e ficar à vontade, fumar se necessário. – Senhorita Dorn, o senhor Chip e eu a escolhemos por sua atividade de primeira linha perante S. Dole Melipone, quem acabou perdendo de vista, sem ter tido nenhuma culpa.

– Obrigada, senhor Runciter – disse Edie Dorn, com um pingo de voz curto e tímido. Ela corou e olhou fixamente para a parede distante. – É ótimo fazer parte deste novo empreendimento – acrescentou, com uma convicção subnutrida.

– Qual de vocês é Al Hammond? – perguntou Runciter, consultando seus documentos.

Um negro excessivamente alto, ombros curvados para a frente e uma expressão suave no rosto alongado, fez um movimento para se identificar.

– É a primeira vez que nos encontramos – disse Runciter, lendo o material do arquivo de Al Hammond. – Sua colocação é a mais alta entre os nossos antiprecogs. Eu deveria, é claro, ter dado um jeito de tê-lo conhecido antes. Quantos de vocês são antiprecogs? – Outras mãos apareceram. – Vocês quatro – disse Runciter – sem dúvida tirarão grande proveito de conhecer e trabalhar com a descoberta mais recente de G. G. Ashwood, que restringe os precogs a partir de um novo princípio. Talvez a própria senhorita Conley possa descrever o processo para nós. – Ele acenou com a cabeça na direção de Pat...

E viu-se parado diante de uma vitrine na Quinta Avenida, de uma loja de moedas raras. Estava analisando um dólar americano de ouro fora de circulação e se perguntando se teria dinheiro suficiente para acrescentá-lo à sua coleção.

Que coleção, ele se perguntou, espantado. Não coleciono moedas. O que estou fazendo aqui? E há quanto tempo estou andando por aí, olhando vitrines, quando deveria estar no meu escritório supervisionando... Ele não conseguia lembrar o que costumava supervisionar. Algum tipo de negócio que lidava com pessoas com habilidades, talentos especiais. Fechou os olhos, tentando focar a mente. Não, tive que desistir disso, ele se deu conta. Por causa de uma coronária no ano passado, tive que me aposentar. Mas estava bem ali, lembrou-se. Apenas segundos atrás. No meu escritório. Falando com um grupo de pessoas sobre um novo projeto. Fechou os olhos. Acabou-se, ele pensou, confuso. Tudo o que construí.

Ao abrir os olhos, viu que estava de volta ao escritório. Estava de frente para G. G. Ashwood, Joe Chip e uma garota morena, intensamente atraente, cujo nome não recordava. Fora isso, seu escritório estava vazio, o que, por razões que não entendia, pareceu-lhe estranho.

– Senhor Runciter – disse Joe Chip –, quero que conheça Patricia Conley.

A garota disse:

– Fico contente em finalmente poder conhecê-lo, senhor Runciter. – Ela riu e seus olhos brilharam de forma exultante. Runciter não sabia por quê.

Ela está fazendo alguma coisa, percebeu Joe Chip.

– Pat – ele disse em voz alta –, não consigo compreender direito, mas as coisas estão diferentes. – Ele ficou olhando para o escritório, que parecia estar como sempre: o carpete chamativo demais; um excesso de objetos de arte não relacionados; nas paredes, quadros sem absolutamente nenhum mérito artístico. Glen Runciter não havia mudado. Desgrenhado e envelhecido, o rosto enrugado e mergulhado em pensamentos, devolveu a Joe o olhar de espanto. Ele também parecia perplexo. Perto da janela, G. G. Ashwood, usando suas pantalonas garbosas habituais de casca de bétula, cinto de corda de cânhamo, blusa rendada transparente e chapéu alto de maquinista, deu de ombros, indiferente. Era óbvio que não via nada de errado.

– Nada está diferente – disse Pat.

– *Tudo* está diferente – Joe disse a ela. – Você deve ter voltado no tempo e nos colocado numa rota diferente. Não posso provar e não consigo especificar a natureza das mudanças...

– Nada de brigas de casal durante o expediente – disse Runciter, carrancudo.

Joe, espantado, disse:

– Brigas de casal? – Depois viu, no dedo de Pat, o anel: prata trabalhada e jade. Lembrou-se de tê-la ajudado a escolher. Dois dias, pensou, antes de nos casarmos. Isso foi há mais de um ano. Apesar do fato de eu estar tão mal financeiramente naquela época. Isso, é claro, mudou. Pat, com seu salário e sua propensão a pensar em dinheiro, arrumou a situação. Para todo sempre.

– De todo modo, continuando – disse Runciter. – Temos, cada um de nós, de nos perguntar por que Stanton Mick passou seu negócio para uma organização de prudência que não a nossa. Em termos lógicos, deveríamos ter conseguido o contrato. Somos os melhores no ramo e estamos localizados em Nova York, onde Mick geralmente prefere fazer negócio. Tem alguma teoria, senhora Chip? – Ele olhou, esperançoso, na direção de Pat.

Pat perguntou:

– Quer realmente saber, senhor Runciter?

– Sim – ele acenou com um movimento vigoroso de cabeça. – Gostaria muito de saber.

– Fui *eu* – disse Pat.

– Como?

– Com meu talento.

– Que talento? Você não possui talento, é a esposa de Joe Chip.

À janela, G. G. Ashwood disse:

– Você veio nos encontrar para irmos almoçar, eu, você e Joe.

– Ela possui um talento – disse Joe. Tentou se lembrar, mas já havia se tornado obscuro, a memória enfraquecia mais à medida que tentava trazê-la de volta. Outra rota do tempo, pensou. O passado. Fora isso, não conseguia compreender mais. A memória acabava ali. Minha esposa, pensou, é única. É capaz de fazer algo que ninguém mais na Terra consegue. Nesse caso, por que não trabalha para a Runciter e Associados? *Algo está errado.*

– Você mediu? – Runciter perguntou-lhe. – Bom, é o seu trabalho. Parece que mediu, parece seguro do que está dizendo.

– Não estou seguro do que digo – disse Joe. Mas estou seguro quanto à minha esposa, disse a si mesmo. – Vou pegar meu equipamento de teste. E veremos que tipo de campo ela cria.

– Ah, o que é isso, Joe? – Runciter, nervoso. – Se a sua esposa tem um talento ou antitalento, você o teria medido há pelo menos um ano. Não estaria descobrindo agora. – Apertou um botão no interfone da mesa. – Pessoal? Temos um arquivo da senhora Chip? Patricia Chip?

Após uma pausa, a voz pelo interfone disse:

– Nenhum arquivo sobre a senhora Chip. Com seu nome de solteira, talvez?

– Conley – disse Joe. – Patricia Conley.

Mais uma pausa.

– Sobre a senhorita Patricia Conley temos dois itens: um relatório de observação inicial feito pelo senhor Ashwood e, em seguida, resultados dos testes feitos pelo senhor Chip.

Da bandeja do interfone, reproduções dos dois documentos foram saindo aos poucos e caíram sobre a mesa.

Ao examinar as descobertas de Joe Chip, Runciter disse, bravo:

– Joe, é melhor olhar isto, venha. – Ele bateu com o dedo na página, e Joe, aproximando-se, viu as duas cruzes sublinhadas. Ele e Runciter se entreolharam, depois olharam para Pat.

– Sei o que está escrito – disse ela, inabalável. – Poder inacreditável. Campo antipsi de alcance único. – Ela se concentrou, visivelmente tentando se lembrar das palavras exatas. – Provavelmente capaz...

– Nós conseguimos, sim, o contrato com Mick – Runciter disse a Joe Chip. – Eu tinha um grupo de onze inerciais aqui dentro, aí sugeri a ela que...

Joe disse:

– Que ela mostrasse ao grupo o que era capaz de fazer. Foi o que ela fez. Fez exatamente isso. E minha avaliação estava correta. – Passou a ponta do dedo sobre os símbolos de perigo na parte de baixo da folha. – Minha esposa.

– Não sou sua esposa – disse Pat. – Mudei isso também. Quer que volte a ser como era antes? Nenhuma mudança, nem mesmo nos detalhes? Isso não vai mostrar muita coisa aos seus inerciais. Por outro lado, não estão sabendo mesmo... a menos que algum deles tenha retido uma memória vestigial, como Joe fez. A esta altura, no entanto, ela já deve ter sumido.

Runciter disse, em tom ácido:

– Eu gostaria de ter o contrato de Mick de volta. No mínimo isso.

– Quando eu descubro – disse G. G. Ashwood –, eu descubro. – Ele havia empalidecido.

– É, você certamente sabe encontrar talentos – disse Runciter.

O interfone tocou, e a voz velha e tremida da senhora Frick estridulou:

– Um grupo de inerciais aguarda para falar com o senhor. Estão dizendo que foram chamados pelo senhor para um projeto de trabalho conjunto. Está disponível para falar com eles?

– Mande-os entrar.

Pat disse:

– Vou ficar com o anel. – Ela exibiu a aliança de prata e jade que, em outra rota do tempo, ela e Joe haviam escolhido. Pelo menos isso ela havia decidido reter do mundo alternativo. Ele se perguntava qual – se havia alguma – base legal ela também havia mantido. Nenhuma, ele esperava. Sabiamente, porém, não disse nada. Melhor nem perguntar.

A porta do escritório abriu-se e, aos pares, os inerciais entraram. Ficaram parados, incertos, por um momento, depois começaram a se sentar de frente para a mesa de Runciter. Runciter os olhou fixamente, depois passou a mão no ninho de rato de documentos da escrivaninha. Obviamente, tentava determinar se Pat havia modificado, de alguma forma, a composição do grupo.

– Edie Dorn – ele disse. Sim, você está aqui. – Ele olhou de relance para ela. Em seguida, para o homem ao lado dela. – Hammond. OK, Hammond. Tippy Jackson. – Ele observava, com olhar inquiridor.

– Vim o mais rápido que pude – disse a senhora Jackson. – Não me deu muito tempo, senhor Runciter.

– John Ild – prosseguiu.

O adolescente com o cabelo desgrenhado e lanoso grunhiu em resposta. Sua arrogância, notou Joe, parecia ter regredido. O garoto agora parecia introvertido e até um pouco abalado. Seria interessante, pensou Joe, descobrir do que ele se lembrava, do que todos eles, individual e coletivamente, se lembravam.

– Francesca Spanish – disse Runciter.

A mulher morena e luminosa, com ar de cigana, que irradiava uma tensão dissonante peculiar, pronunciou-se:

– Durante os últimos minutos, senhor Runciter, enquanto esperávamos na antessala, vozes misteriosas surgiram para mim e me disseram umas coisas.

– Você é Francesca Spanish? – Runciter perguntou, paciente. Ele parecia mais cansado que de costume.

– Sou. Sempre fui. Sempre serei. – A voz da senhorita Spanish vibrava convicção. – Posso lhe contar o que as vozes me revelaram?

– Possivelmente mais tarde – disse Runciter, passando para o próximo documento do departamento pessoal.

– Tem que ser dito – declarou a senhorita Spanish, vibrante.

– Tudo bem – disse Runciter. – Vamos fazer uma pausa de alguns minutos. – Abriu uma gaveta da mesa, retirou um de seus comprimidos de anfetamina, tomou sem água. – Vamos ouvir o que as vozes lhe revelaram, senhorita Spanish. – Ele olhou rapidamente na direção de Joe, dando de ombros.

– Alguém – disse a senhorita Spanish – acabou de nos transferir, a todos nós, para outro mundo. Nós o habitamos, vivemos nele como seus cidadãos, e depois uma agência espiritual vasta e que a tudo abarca nos devolveu a este mundo, nosso universo legítimo.

– É Pat – disse Joe Chip. – Pat Conley, que acabou de entrar para a firma hoje.

– Tito Apostos – disse Runciter. – Você está aqui? – Ele estendeu o pescoço, examinando as pessoas sentadas pela sala.

Um homem careca, com o cavanhaque balançando, apontou para si mesmo. Usava uma calça de lamê dourado fora de moda e apertada nos quadris, mas que, de alguma forma, criava um efeito estiloso. Talvez os botões do tamanho de um ovo da blusa verde-alga, com manguitos, ajudasse. De todo modo, ele transpirava uma dignidade grandiosa, uma imponência acima da média. Joe ficou impressionado.

– Don Denny – disse Runciter.

– Aqui, senhor – declarou uma voz de barítono confiante como a de um gato siamês, originada de um indivíduo delgado e com ar determinado, sentado com uma postura rígida, mãos sobre os joelhos. Usava um vestido *dirndl* de poliéster, o cabelo longo preso numa rede, calça de vaqueiro com estrelas de prata falsas. E sandálias.

– Você é um antianimador – disse Runciter, lendo a folha apropriada. – O único que usamos. – Para Joe, disse: – Me pergunto se vamos precisar dele. Talvez devêssemos substituir por outro antitelepata. Quanto mais deles, melhor.

Joe disse:

– Temos que cobrir tudo. Uma vez que não sabemos onde estamos nos metendo.

– Acho que sim – Runciter concordou. – OK, Sammy Mundo.

Um jovem de nariz inexpressivo, vestindo uma maxissaia, com uma cabeça pequena que lembrava um melão, ergueu a mão num gesto espasmódico, vacilante, como um tique. Como se, pensou Joe, o corpo anêmico o tivesse feito por conta própria. Ele conhecia aquela pessoa em particular. Mundo parecia anos mais jovem que sua idade cronológica. Tanto o processo de crescimento mental quanto o físico haviam cessado para ele há muito tempo. Tecnicamente, Mundo possuía a inteligência de um guaxinim. Era capaz de andar, respirar, tomar banho e até – de certo modo – falar. Sua habilidade antitelepática, no entanto, era considerável. Uma vez, sozinho, ele havia anulado S. Dole Melipone. A revista interna da firma havia comentado o caso sem parar, durante meses.

– Ah, sim – disse Runciter. – Agora chegamos a Wendy Wright.

Como sempre, quando a oportunidade surgia, Joe olhava perspicaz e longamente para a garota que, se ele tivesse conseguido, seria sua amante ou, melhor ainda, sua esposa. Não parecia possível que Wendy Wright tivesse nascido com o mesmo sangue e os mesmos órgãos internos das outras pessoas. Próximo a ela, ele se sentia um sujeito atarracado, oleoso, suado e inculto, cujo estômago roncava, e que respirava ruidosamente. Perto dela, ele se tornava consciente dos mecanismos físicos que o mantinham vivo. Dentro dele, mecanismos, tubos, válvulas, compressores de gás e correias de ventilador tinham de funcionar, barulhentos, numa tarefa perdida, um trabalho destinado ao fracasso. Ao ver o rosto dela, ele descobria que o seu próprio consistia uma máscara de mau gosto. A percepção do corpo dela fazia com que se sentisse como um brinquedo de corda de segunda. Todas as cores dela tinham um aspecto sutil, uma iluminação indireta. Os olhos, aquelas pedras verdes lapidadas, olhavam impassíveis para tudo. Ele nunca vira medo neles, nem aversão, nem desprezo. O que ela via, aceitava. Geralmente parecia calma. Mas, mais do que isso, ela lhe dava a impressão de ser durável, imperturbada e tranquila, não sujeita a desgaste, fadiga ou doenças físicas e deterioração. Ela provavelmente tinha 25, 26 anos, mas ele não conseguia imaginá-la com aparência mais jovem, e certamente nunca iria parecer mais velha. Tinha controle demais sobre si mesma e sobre a realidade externa para isso.

– Estou aqui – disse Wendy, com suave tranquilidade.

Runciter acenou com a cabeça:

– OK. Com isso, resta Fred Zafsky. – Ele fixou o olhar num indivíduo lânguido, de pés grandes, meia-idade e aparência pouco natural, com cabelo grudado na cabeça, pele turva, além de um pomo-de-adão peculiar e ressaltado. Usava, para a ocasião, um tubinho cor de bunda de babuíno. – Deve ser você.

– Acertou – concordou Zafsky, e deu um risinho de desdém. – Incrível, não?

– Nossa! – disse Runciter, balançando a cabeça. – Bem, temos que incluir um antiparacinético, por segurança. E é você. – Ele jogou os documentos na mesa e procurou seu charuto verde. Para Joe, disse: – Este é o grupo, mais você e eu. Alguma mudança de última hora que queira fazer?

– Estou satisfeito – disse Joe.

– Acredita que este grupo de inerciais seja a melhor combinação em que podemos pensar? – Runciter perguntou, concentrado.

– Sim – disse Joe.

Mas ele sabia que não.

Não era algo que ele pudesse determinar com clareza. Certamente não era racional. Em termos de potencial, a capacidade de contracampo dos onze inerciais tinha de ser considerada enorme. E ainda assim...

– Senhor Chip, posso dispor de um segundo do seu tempo? – O senhor Apostos, careca e barbado, a calça de lamê dourado reluzindo, puxou o braço de Joe. – Eu poderia discutir uma experiência que tive ontem, tarde da noite? Num estado hipnagógico, parece que contatei um ou dois do pessoal de Hollis: um telepata que claramente operava em combinação com um dos precogs deles. Acha que devo contar ao senhor Runciter? É importante?

Hesitante, Joe Chip olhou na direção de Runciter. Sentado em sua cadeira valorosa e querida, tentando reacender seu charuto genuíno de Havana, ele parecia terrivelmente cansado. As dobras do rosto pendiam.

– Não – disse Joe. – Deixa pra lá.

– Senhoras e senhores – disse Runciter, erguendo a voz acima do barulho geral. – Partiremos agora para Luna, vocês, os onze inerciais, Joe Chip, eu e a representante do nosso cliente, Zoe Wirt, catorze de nós no total. Usaremos nossa própria nave. – Ele pegou o relógio redondo de bolso, de ouro e anacrônico, e o examinou. – Três e trinta. O *Pratfall II* decolará do campo do terraço às quatro. – Fechou o relógio com um estalo e o colocou de volta no bolso da faixa de seda. – Bem, Joe, estamos nessa para o que der e vier. Queria que tivéssemos um precog residente que pudesse dar uma olhada adiante para nós. – Seu rosto e sua voz enfraqueciam-se com a preocupação e a ansiedade, o peso irreversível da responsabilidade e dos anos.

6

Queríamos que você tivesse um barbear como nenhum outro. Dissemos: Já está na hora de dar um pouco de carinho ao rosto do homem. Com a lâmina suíça de cromo Ubik, automática e interminável, os dias de arranha-arranha acabaram. Então, experimente Ubik. E seja amado. Aviso: usar apenas conforme instruções. E com precaução.

– Bem-vindos a Luna – disse Zoe Wirt, animada, olhos alegres ampliados pelos óculos triangulares de armação vermelha. – Através de mim, o senhor Howard saúda cada um e todos vocês, muito especialmente o senhor Glen Runciter, por tornar sua organização e vocês, em particular, disponíveis para nós. Esta suíte de hotel da subsuperfície, decorada com o talento artístico da irmã do senhor Howard, Lada, fica a apenas 300 metros lineares das instalações industriais e de pesquisa que o senhor Howard acredita terem sido invadidas. A presença de vocês reunidos, portanto, já deve estar inibindo as capacidades psiônicas dos agentes de Hollis, uma ideia que agrada a todos nós. – Ela fez uma pausa, olhou para todos eles. – Alguma pergunta?

Atabalhoado com seu equipamento de teste, Joe Chip a ignorou. Apesar do estipulado pelo cliente, ele pretendia medir o campo psiônico circundante. Foi o que ele e Glen Runciter tinham decidido durante a viagem de uma hora da Terra.

– Tenho uma pergunta – disse Fred Zafsky, levantando a mão. Deu risada. – Onde é o banheiro?

– Cada um de vocês receberá um mapa em miniatura – disse Zoe Wirt –, no qual isso está indicado. – Ela acenou com a cabeça para uma assistente insípida, que começou a distribuir mapas em papel brilhante de cores vivas. – Esta suíte – ela prosseguiu – é completa, tem uma cozinha, na qual todos os utensílios são gratuitos, não necessitam moedas para funcionar. Obviamente, a construção desta unidade habitacional incorreu em gastos literalmente ostensivos, sendo ampla o suficiente para vinte pessoas, possuindo seu próprio ar autorregulado, aquecimento, água e provisão de alimentos de variedade surpreendente, além de TV em circuito fechado e sistema de som fonográfico polifônico de alta fidelidade... os dois últimos recursos, no entanto, diferentemente da cozinha, funcionam por meio de moedas. Para auxiliá-los no uso desses recursos recreativos, uma máquina de troco foi colocada no salão de jogos.

– No meu mapa – disse Al Hammond – só aparecem nove quartos.

– Cada quarto – disse a senhorita Wirt – contém dois beliches. Portanto, dezoito acomodações no total. Além disso, cinco das camas são de casal, servindo àqueles de vocês que desejarem dormir juntos durante sua estada aqui.

– Tenho uma regra – disse Runciter, impaciente – sobre meus empregados dormirem uns com os outros.

– A favor ou contra? – indagou Zoe Wirt.

– Contra. – Runciter amassou seu mapa e o largou no chão aquecido de metal. – Não estou acostumado a ouvir o que devo...

– Mas o senhor não ficará aqui – observou a senhorita Wirt. – Não irá retornar à Terra assim que seus funcionários começarem a trabalhar? – Dirigiu a ele seu sorriso profissional.

Runciter disse a Joe Chip:

– Está conseguindo alguma leitura do campo psi?

– Primeiro – disse Joe – preciso obter uma leitura do campo opositor que nossos inerciais estão gerando.

– Você deveria ter feito isso na viagem – disse Runciter.

– Você está tentando fazer medições? – a senhorita Wirt indagou, alerta. – O senhor Howard contraindicou expressamente tal procedimento, conforme expliquei.

– Vamos fazer a medição assim mesmo – disse Runciter.

– O senhor Howard...

– Isso não é assunto para Stanton Mick – Runciter lhe disse.

A senhorita Wirt dirigiu-se à sua assistente insípida:

– Poderia pedir ao senhor Mick para vir até aqui, por favor? – A assistente saiu depressa, na direção do conjunto de elevadores. – O senhor Mick lhe dirá pessoalmente – disse a Runciter. – Enquanto isso, por favor, não façam nada. Peço gentilmente que esperem até ele chegar.

– Consegui fazer uma leitura agora – Joe disse a Runciter. – Do nosso próprio campo. É muito alto. – Provavelmente por causa de Pat, concluiu. – Muito mais alto do que eu teria esperado – disse. Por que estão tão ansiosos para impedir nossas leituras de dados?, perguntou-se. Agora, não é o fator tempo. Nossos inerciais estão aqui e trabalhando.

– Tem armários – perguntou Tippy Jackson – onde podemos guardar nossas roupas? Eu gostaria de desfazer a mala.

– Cada quarto – disse a senhorita Wirt – possui um armário grande, que funciona com moedas. E para começarem – ela mostrou uma grande sacola de plástico – aqui está um fornecimento de cortesia de moedas. – Ela entregou os cilindros de moedas de 10, 5 e 25 centavos a Jon Ild. – Poderia distribuí-las igualmente? Um gesto de boa vontade do senhor Mick.

Edie Dorn perguntou:

– Tem um enfermeiro ou médico nesta colônia? Eu às vezes desenvolvo erupções psicossomáticas na pele, quando estou trabalhando pesado. Um unguento à base de cortisona geralmente me ajuda, mas, na pressa, esqueci de trazer.

– As instalações industriais e de pesquisa adjacentes a estas habitações – disse a senhorita Wirt – mantêm alguns médicos de plantão e, além disso, há uma pequena enfermaria com leitos para os doentes.

– Operada com moedas? – perguntou Sammy Mundo.

– Toda a nossa assistência médica é gratuita. Mas a obrigação de apresentar provas de que o suposto paciente está de fato doente recai sobre os ombros dele mesmo. – A senhorita Wirt acrescentou: – Todas as máquinas de medicamentos, no entanto, funcionam com moedas. Posso dizer, com relação a isso, que encontrarão, na sala de jogos desta suíte, uma máquina de tranquilizantes. E, se desejarem, é possível transferirmos uma das máquinas de estimulantes das instalações vizinhas para cá.

– E alucinógenos? – indagou Francesca Spanish. – Quando estou trabalhando, funciono melhor se posso tomar alguma droga psicodélica à base de ergotina. Me faz ver quem realmente estou enfrentando, e percebo que ajuda.

A senhorita Wirt disse:

– O senhor Mick desaprova todos os agentes alucinógenos à base de ergotina. Acredita que sejam tóxicos para o fígado. Caso tenham trazido algum com vocês, estão livres para usá-lo. Mas não distribuiremos nenhum, embora eu creia que tenhamos.

– Desde quando – disse Don Denny a Francesca Spanish – você precisa de drogas psicodélicas para alucinar? Sua vida toda é uma alucinação em estado desperto.

Imperturbável, Francesca disse:

– Há duas noites, recebi uma visita especialmente impressionante.

– Não me surpreende – disse Don Denny.

– Uma multidão de precogs e telepatas descia de uma escada, tecida com o cânhamo natural da mais alta qualidade, até a sacada da minha janela. Eles dissolviam uma passagem através da parede e se manifestavam ao redor da minha cama, acordando-me com seu falatório. Citavam poesia e uma prosa lânguida de livros antigos, o que me encantava. Eles pareciam tão... – Ela tentou encontrar a palavra. – Faiscantes. Um deles, que se chamava Bill...

– Espere um minuto – disse Tito Apostos. – Tive um sonho como esse também. – Ele se virou para Joe. – Lembra? Eu lhe contei um pouco antes de deixarmos a Terra. – Suas mãos se agitavam de excitação. – Não contei?

– Também sonhei com isso – disse Tippy Jackson. – Bill e Matt. Eles diziam que iam me pegar.

O rosto retorcido, subitamente sombrio, Runciter disse a Joe:

– Você deveria ter *me* contado.

– Na ocasião – disse Joe, – o senhor... – Ele desistiu. – O senhor parecia cansado. Estava com outras coisas na cabeça.

Francesca disse categoricamente:

– Não foi um sonho. Foi uma visitação autêntica. Sei distinguir uma coisa da outra.

– Claro que sabe – Don Denny piscou para Joe.

– Eu tive um sonho – disse Jon Ild. – Mas era com aerocarros. Eu decorava os números das placas. Decorei 65, e ainda me lembro deles. Querem ouvir?

– Desculpe, Glen – Joe Chip disse a Runciter. – Achei que apenas Apostos tivesse tido a experiência. Não sabia dos outros. Eu... – o som das portas do elevador deslizando fez com que parasse. Ele e os outros se viraram para olhar.

Pançudo, atarracado e com pernas grossas, Stanton Mick perambulou na direção deles. Usava calça capri fúcsia, sapatilhas rosa de pele de iaque, blusa sem mangas de pele de cobra e uma fita no cabelo branco, tingido, que ia até a cintura. O nariz, pensou Joe, parece o bulbo de borracha da buzina de um táxi de Nova Delhi, macio e elástico. E escandaloso. O barulho mais escandaloso, pensou, que já vi.

– Olá, todos vocês, antipsis superiores – disse Stanton Mick, estendendo os braços num cumprimento exagerado. – Os exterminadores estão aqui; com isso, refiro-me a vocês. – Sua voz possuía um aspecto esganiçado e penetrante de *castrato*, um ruído desagradável que se poderia esperar ouvir, pensou Joe, de um enxame de abelhas de metal. – A praga, na forma de diversos elementos da escória psiônica, atacou o mundo inofensivo, amistoso e pacífico de Stanton Mick. Que dia para nós em Mickville, como chamamos nossa colônia lunar atraente e tentadora. Vocês, é claro, já começaram o trabalho, como sabia que fariam. Isso porque são os melhores na sua área, como todos reconhecem quando a Runciter e Associados é mencionada. Já estou encantado com sua atividade, com a pequena exceção de perceber seu testador ali mexendo no equipamento. Testador, pode olhar para mim enquanto estiver falando com você?

Joe fechou seus polígrafos e calibradores, interrompendo o fornecimento de energia.

– Está prestando atenção em mim agora? – Stanton Mick perguntou a ele.

– Sim – disse Joe.

– Deixe seu equipamento ligado – Runciter ordenou. – Você não é empregado do senhor Mick. É meu empregado.

– Não importa – Joe disse a ele. – Eu já consegui uma medição do campo psi gerado nas proximidades. – Ele tinha feito o seu trabalho. Stanton Mick havia demorado demais para chegar.

– Qual a dimensão do campo? – perguntou Runciter.

Joe disse:

– *Não tem campo nenhum.*

– Os nossos inerciais o estão anulando? Nosso campo opositor é maior?

– Não – disse Joe. – Como eu disse, não existe campo psi de nenhuma espécie dentro do alcance do meu equipamento. Eu obtenho o nosso próprio campo. Portanto, pelo que posso determinar, meus instrumentos estão funcionando. Considero este um retorno preciso. Estamos produzindo 2.000 unidades blr, oscilando para cima até 2.100 a cada cinco minutos. É provável que aumente aos poucos. Quando nossos inerciais estiverem trabalhando juntos, digamos, em doze horas, pode chegar a...

– Não entendo – disse Runciter. Todos os inerciais estavam reunidos ao redor de Joe Chip. Don Denny pegou uma das fitas que tinha sido expelida pelo polígrafo, examinou a linha estável e depois entregou a fita a Tippy Jackson. Um por um, os outros inerciais a examinaram em silêncio, depois olharam na direção de Runciter. Para Stanton Mick, ele disse:

– De onde tirou a ideia de que Psis haviam invadido suas operações aqui em Luna? E por que não queria que conduzíssemos nossos testes normais? Sabia que obteríamos este resultado?

– É óbvio que sabia – disse Joe Chip. Ele tinha certeza disso.

O rosto de Runciter demonstrou um estado de atividade rápido e agitado. Começou a falar com Stanton Mick, depois mudou de ideia e disse a Joe, em voz baixa:

– Vamos voltar para a Terra. Vamos tirar nossos inerciais daqui agora.

Em voz alta, para os outros, disse:

– Recolham seus pertences. Vamos voar de volta a Nova York. Quero todos vocês na nave nos próximos quinze minutos. Qualquer um que não estiver dentro será deixado para trás. Joe, junte toda essa sua tralha numa pilha. Eu o ajudo a arrastá-la até a nave, se preciso... De qualquer modo, quero tudo fora daqui, e você junto. – Ele se voltou na direção de Mick mais uma vez, o rosto inflado de raiva. Começou a falar...

Guinchando com sua voz de inseto metálico, Stanton Mick flutuou até o teto da sala, os braços projetados e esticados com rigidez.

– Senhor Runciter, não deixe o seu tálamo dominar o córtex cerebral. Estas questões pedem discrição, não pressa. Acalme o seu pessoal, e vamos nos abraçar num esforço conjunto para chegarmos à compreensão mútua. – Seu corpo rotundo e colorido balançava, revirando-se numa rotação transversal lenta, de modo que os pés, e não a cabeça, se estendiam na direção de Runciter.

– Ouvi falar nisso – Runciter disse a Joe. – É uma bomba humanoide de autodestruição. Ajude-me a tirar todo mundo daqui. Acabaram de colocá-la no automático. Por isso flutuou para cima.

A bomba explodiu.

A fumaça, acumulando-se em massas malcheirosas que se agarravam a paredes e chão rompidos, obscureceu e fez desaparecer o vulto inclinado que se contorceu aos pés de Joe Chip.

No ouvido de Joe, Don Denny gritava:

– Mataram Runciter, senhor Chip. Este é o senhor Runciter – agitado, ele gaguejava.

– Quem mais? – disse Joe, rouco, tentando respirar. A fumaça acre constringia seu peito. A cabeça tinia com a concussão da bomba e, sentindo um calor gotejante no pescoço, viu que um caco voador o havia lacerado.

Wendy Wright, indistinta, embora próxima, disse:

– Acho que todos os outros estão feridos, mas vivos.

Agachada ao lado de Runciter, Edie Dorn disse:

– Poderíamos conseguir um animador de Ray Hollis? – seu rosto parecia oprimido e pálido.

– Não – disse Joe, também agachado. – Você está enganado – disse a Don Denny. – Ele não está morto.

Mas no chão retorcido, Runciter estava morrendo. Em dois minutos, três minutos, Don Denny estaria correto.

– Ouçam, todos – Joe disse, em voz alta. – Como o senhor Runciter está ferido, estou agora no comando, temporariamente, de todo modo, até podermos voltar para Terra.

– Supondo – disse Al Hammond – que cheguemos a voltar. – Com um lenço dobrado, ele batia de leve num corte profundo, acima do olho direito.

– Quantos de vocês têm armas de mão? – perguntou Joe. – Sei que é contra as regras da Sociedade. Mas sei que alguns têm. Esqueçam a ilegalidade. Esqueçam tudo o que sabem quanto a inerciais carregarem armas durante o trabalho.

Após uma pausa, Tippy Jackson disse:

– A minha está junto com as minhas coisas. Na outra sala.

– A minha está aqui comigo – disse Tito Apostos. Ele já segurava, na mão direita, uma pistola antiquada, de bala de chumbo.

– Se vocês tiverem armas – disse Joe – e elas estiverem no outro cômodo, onde deixaram suas coisas, vão pegá-las.

Seis inerciais seguiram na direção da porta.

Para Al Hammond e Wendy Wright, que permaneceram, Joe disse:

– Temos que colocar Runciter em bolsa térmica.

– Há instalações com bolsas térmicas na nave – disse Al Hammond.

– Então, vamos carregá-lo para lá – disse Joe. – Hammond, pegue um lado que eu o ergo pelo outro. Apostos, vá na nossa frente e atire em qualquer empregado de Hollis que tentar nos impedir.

Jon Ild, voltando do cômodo ao lado com um tubo de laser, disse:

– Você acha que Hollis está aqui com o senhor Mick?

– Com ele – disse Joe – ou sozinho. Pode ser que em nenhum momento estivéssemos lidando com Mick. Pode ter sido Hollis o tempo todo. – Incrível, pensou, que a explosão da bomba humanoide não tenha matado o restante de nós. Ele se perguntava sobre Zoe Wirt. Era evidente que ela havia saído antes da detonação. Ele não via sinal algum dela. Qual terá sido sua reação, pensou, ao descobrir que não estava trabalhando para Stanton Mick, que seu empregador, seu verdadeiro empregador, havia nos contratado, nos trazido aqui, para nos assassinar. Provavelmente, terão que matá-la também. Apenas por segurança. Ela certamente não terá mais nenhuma utilidade. Na verdade, será uma testemunha do que aconteceu.

Agora, armados, os outros inerciais retornaram. Esperaram que Joe lhes dissesse o que fazer. Considerando a situação, os onze inerciais pareciam razoavelmente controlados.

– Se pudermos colocar Runciter em bolsa térmica o mais rápido possível – explicou Joe, enquanto ele e Al Hammond carregavam seu supostamente moribundo empregador na direção dos elevadores –, ele ainda poderá dirigir a firma. Do modo que sua esposa dirige. – Ele bateu com o cotovelo no botão do elevador. – Há muito poucas chances mesmo de que o elevador chegue. Provavelmente cortaram toda energia no mesmo momento da explosão.

O elevador, no entanto, apareceu. Rapidamente, ele e Al Hammond carregaram Runciter para dentro.

– Três de vocês que têm armas – disse Joe – venham com a gente. O restante...

– Uma ova – disse Sammy Mundo. – Não queremos ficar presos aqui embaixo esperando o elevador voltar. Ele pode não voltar mais. – Partiu para a frente, o rosto contraído de pânico.

Com rispidez, Joe disse:

– Runciter vai primeiro. – Ele apertou um botão e a porta fechou, encerrando a si mesmo, Al Hammond, Tito Apostos, Wendy Wright, Don Denny... e Glen Runciter. – É assim que tem que ser feito – disse aos outros, enquanto o elevador subia. – E, de todo modo, se o pessoal de Hollis estiver esperando, vai nos pegar primeiro. Só que provavelmente não esperam que estejamos armados.

– Tem aquela lei – Don Denny interveio.

– Veja se ele já está morto – Joe disse a Tito Apostos.

Apostos curvou-se para examinar o corpo inerte.

– Ainda há alguma respiração superficial – ele disse, de imediato. – Então, ainda temos uma chance.

– Sim, uma chance – disse Joe. Ele permanecia entorpecido, como estava, tanto física quanto psicologicamente, desde a explosão. Sentia frio e dormência, e seus tímpanos pareciam danificados. Assim que voltarmos para a nossa própria nave, refletiu, depois de colocarmos Runciter na bolsa térmica, poderemos enviar um pedido de auxílio para Nova York, para todos da firma. Na verdade, para todas as organizações de prudência. Se não conseguirmos decolar, eles poderão vir nos buscar.

Mas, na realidade, não funcionaria desse modo. Porque, no momento em que alguém da Sociedade chegasse a Luna, todos os que estavam presos na subsuperfície, no poço do elevador e a bordo da nave estariam mortos. Portanto, não havia nenhuma chance de fato.

Tito Apostos disse:

– Você poderia ter deixado mais pessoas entrarem no elevador. Poderíamos ter espremido as outras mulheres lá dentro. – Ele encarou Joe com um olhar acusador, as mãos tremendo de agitação.

– Estaremos mais expostos à morte do que eles – disse Joe. – Hollis espera que qualquer sobrevivente da explosão faça uso do elevador, como estamos fazendo. Provavelmente por isso não cortaram a energia. Eles sabem que temos que voltar para a nave.

Wendy Wright disse:

– Você já nos disse isso, Joe.

– Estou tentando racionalizar o que estou fazendo – ele disse. – Deixando o resto do pessoal lá embaixo.

– E o talento daquela garota nova? – perguntou Wendy Wright. – Aquela garota misteriosa e emburrada, de atitude arrogante. Pat alguma coisa. Você deveria ter deixado que voltasse ao passado, antes do ferimento de Runciter. Ela poderia ter mudado tudo isso. Você se esqueceu da habilidade dela?

– Sim – disse Joe com firmeza. Ele esquecera, na confusão vaga e enfumaçada.

– Vamos voltar para baixo – disse Tito Apostos. – Como você disse, o pessoal de Hollis vai estar esperando por nós, no térreo. Como você disse, corremos mais perigo ao...

– Estamos na superfície – disse Don Denny. – O elevador parou. – Abatido e tenso, umedeceu os lábios, apreensivo, quando as portas deslizaram automaticamente.

Eles estavam diante de uma calçada móvel que subia até o saguão, ao fim do qual, do outro lado das portas de membrana de ar, a base de sua nave aprumada podia ser vista. Exatamente como tinha sido deixada. E não havia ninguém entre eles e ela. Estranho, pensou Joe Chip. Eles tinham certeza de que a explosão da bomba humanoide atingiria a todos nós? Algo no modo como planejaram tudo deve ter dado errado, primeiro na detonação em si, depois ao deixarem a energia ligada – e, agora, neste corredor vazio.

– Eu acho – disse Don Denny, enquanto Al Hammond e Joe carregavam Runciter do elevador para a calçada móvel – que o fato de a bomba ter flutuado para o teto foi o que estragou o plano deles. Parecia ser de fragmentação, e a maior parte dos estilhaços bateu nas paredes acima de nossas cabeças. Acho que não lhes ocorreu, em nenhum momento, que algum de nós poderia sobreviver. Esse seria o motivo de terem deixado a energia ligada.

– Bem, graças a Deus que ela flutuou para o alto, então – disse Wendy Wright. – Minha nossa, está frio. A bomba deve ter desativado o sistema de aquecimento do local. – Ela tremia, visivelmente.

A calçada móvel carregou-os para a frente com uma lentidão perturbadora. Pareceu a Joe que cinco minutos ou mais se passaram até a calçada deixá-los nas portas de membrana de ar de dois estágios. O rastejar adiante, de alguma forma, pareceu-lhe a pior parte de tudo o que havia acontecido, como se Hollis tivesse preparado aquilo propositalmente.

– Esperem! – uma voz chamou atrás deles. Ouviu-se o som de passos, e Tito Apostos virou-se, a arma erguida, depois a baixou.

– Os outros – Don Denny disse a Joe, que não podia se virar. Ele e Al Hammond haviam começado a manobrar o corpo de Runciter através do sistema intricado de portas de membrana de ar. – Estão todos lá. Está tudo bem. – Com sua arma, acenou para que viessem em sua direção. – Vamos!

O túnel conector de plástico ainda ligava a nave ao saguão. Joe ouviu o clique abafado característico sob seus pés e perguntou-se: *Eles estão nos deixando ir embora?* Ou, pensou, estão nos esperando dentro da nave? É como se, pensou, alguma força maliciosa estivesse brincando conosco, deixando-nos fugir e matraquear feito ratos descerebrados. Nós a entretemos. Nossos esforços a divertem. E quando chegarmos ao ponto exato, seu punho se fechará à nossa volta para depois largar nossos restos espremidos, como os de Runciter, sobre o chão que se move devagar.

– Denny – ele disse. – Entre na nave primeiro. Veja se estão esperando por nós.

– E se estiverem? – perguntou Denny.

– Aí você volta – Joe disse num tom sarcástico –, conta pra gente e nos entregamos. Depois, eles nos matam todos.

Wendy Wright disse:

– Peça a Pat qualquer-que-seja-o-nome para usar seus poderes. – Sua voz era baixa, mas insistente. – Por favor, Joe.

– Vamos tentar entrar na nave – disse Tito Apostos. – Não gosto da garota. Não confio no talento dela.

– Você não a entende, nem seu talento – disse Joe. Ele observava o pequeno e esquelético Don Denny andar depressa pelo túnel, mexer na combinação de chaveamento que controlava a porta de entrada da nave, e depois desaparecer lá dentro. – Ele não vai voltar mais – falou, ofegante. O peso de Glen Runciter parecia ter aumentado. Ele mal conseguia segurá-lo. – Vamos colocar Runciter aqui – disse a Al Hammond. Juntos, os dois baixaram Runciter no chão do túnel. – Ele é pesado para um homem idoso. – Joe disse, endireitando-se novamente. Para Wendy, disse: – Vou falar com Pat. – Os outros já os haviam alcançado. Todos se aglomeraram, agitados, dentro do túnel conector. – Um baita fiasco – ele arfava. – Em vez do que esperávamos ser o nosso grande empreendimento. Nunca se sabe. Hollis realmente nos pegou desta vez. – Ele acenou para que Pat viesse ao seu lado. O rosto dela estava manchado e sua blusa sintética, sem mangas, havia rasgado. A faixa elástica que comprimia – com estilo – seus seios podia ser vista: tinha uma estampa elegante de flor-de-lis rosa-claro, e, sem nenhuma razão lógica, a percepção desse dado sensório desconexo e insignificante ficou registrada em sua mente. – Olha – ele lhe disse, colocando a mão em seu ombro e olhando-a nos olhos. Ela retribuiu, com calma, o olhar fixo dele. – Você consegue voltar? A um tempo antes da detonação da bomba? E recuperar Glen Runciter?

– Agora é tarde demais – disse Pat.

– Por quê?

– Já era. Passou tempo demais. Eu teria que ter feito isso na mesma hora.

– Por que não fez? – perguntou Wendy Wright, com hostilidade.

Virando o olhar, Pat a encarou.

– *Você* pensou nisso? Se pensou, não disse. Ninguém disse.

– Você não sente nenhuma responsabilidade, então – disse Wendy –, pela morte de Runciter. Quando o seu talento poderia ter evitado isso.

Pat riu.

Voltando da nave, Don Denny disse:

– Está vazia.

– OK – disse Joe, acenando para Al Hammond. – Vamos levá-lo para dentro da nave e da bolsa térmica. – Mais uma vez, ele e Al ergueram o corpo denso e difícil de manejar. Seguiram até entrar na nave. Os inerciais correram e se atropelaram em volta dele, ávidos por refúgio. Ele sentiu a pura emanação física do medo deles, o campo que os cercava – e a si mesmo, também. A possibilidade de chegarem, de fato, a deixar Luna vivos deixou-os mais desesperados, não menos. A resignação atordoada havia desaparecido por completo.

– Onde está a chave? – Jon Ild guinchou no ouvido de Joe, enquanto ele e Al Hammond cambaleavam, grogues, na direção da câmara de bolsas térmicas. Ele puxou Joe pelo braço. – A chave, senhor Chip.

Al Hammond explicou:

– A chave de ignição. Da nave. Deve estar com Runciter. Pegue-a antes de o deixarmos dentro da bolsa térmica, porque depois disso não poderemos tocá-lo.

Vasculhando os bolsos de Runciter, Joe encontrou um porta--chaves de couro. Passou-o para Jon Ild. – Agora podemos colocá--lo na bolsa térmica? – perguntou com uma raiva feroz. – Vamos, Hammond, pelamordedeus, me ajuda a colocá-lo na bolsa. – Mas não agimos com a prontidão necessária, disse a si mesmo. Está tudo acabado. Falhamos. Bem, ele pensou exausto, é assim que é.

Os foguetes iniciais foram acionados com um estrondo. A nave estremeceu à medida que no console de controles quatro dos inerciais colaboravam, hesitantes, na tarefa de programar os receptores de comando computadorizados.

Por que eles nos deixaram partir? Joe perguntou a si mesmo enquanto ele e Al Hammond colocavam o corpo sem vida – ou aparentemente sem vida – de Runciter em pé, na câmara que ia do chão ao teto. Braçadeiras automáticas fecharam-se sobre as coxas e os ombros de Runciter, sustentando-o, enquanto o frio, reluzindo com sua própria vida simulada, faiscava e brilhava, deslumbrando Joe Chip e Al Hammond. – Eu não entendo – ele disse.

– Eles se deram mal – disse Hammond. – Não tinham nenhum plano de apoio por trás da bomba. Como os conspiradores que tentaram matar Hitler com uma bomba. Quando viram a explosão detonar na casamata, todos presumiram que...

– Antes que o frio nos mate – disse Joe –, vamos sair desta câmara. – Ele fez com que Hammond seguisse na frente. Uma vez do lado de fora, os dois, juntos, torceram a roda de fechamento. – Nossa, que sensação. E pensar que uma força como esta preserva a vida. De certo modo.

Francy Spanish, com as longas tranças chamuscadas, parou-o quando ele seguia na direção da parte dianteira da nave. – A bolsa térmica tem um circuito de comunicação? – ela perguntou. – Podemos consultar o senhor Runciter agora?

– Nada de consultas – disse Joe, balançando a cabeça. – Nenhum fone de ouvido, nenhum microfone. Nenhum protofáson. Nenhuma meia-vida. Não até voltarmos à Terra e o transferirmos para um moratório.

– Então, como podemos saber se o congelamos a tempo? – perguntou Don Denny.

– Não podemos – disse Joe.

– Seu cérebro pode ter se deteriorado – disse Sammy Mundo, com um sorriso malicioso. Deu uma risadinha.

– É isso mesmo – disse Joe. – Pode ser que nunca mais voltemos a ouvir a voz ou os pensamentos de Glen Runciter. Pode ser que tenhamos que dirigir a Runciter e Associados sem ele. Talvez tenhamos que depender do que resta de Ella, de mudar nossos escritórios para o Moratório Entes Queridos em Zurique e operar a partir de lá. – Ele se sentou num assento ao lado do corredor, onde podia observar os quatro inerciais discutindo sobre o modo correto de dirigir a nave. Sonâmbulo, tragado pela dor sombria e fatigante do choque, ele pegou um cigarro amassado e acendeu.

O cigarro, seco e envelhecido, quebrou ao meio enquanto ele tentava segurá-lo entre os dedos. Estranho, pensou.

– A explosão da bomba – disse Al Hammond, reparando. – O calor.

– Ela nos envelheceu? – perguntou Wendy Wright, atrás de Hammond. Ela o ultrapassou e se sentou ao lado de Joe. – Eu me sinto velha. *Estou* velha. Seu maço de cigarros está velho. Somos todos velhos, a partir de hoje, por causa do que aconteceu. Esse foi um dia, para nós, como nenhum outro.

Com energia dramática, a nave ergueu-se da subsuperfície de Luna, carregando consigo, absurdamente, o túnel conector de plástico.

7

Dê um toque especial nas superfícies mais difíceis da casa com o novo Ubik milagroso, o acabamento plástico fácil de aplicar, com extrabrilho, não pegajoso. Inteiramente inofensivo se usado conforme as instruções. Evita a esfregação sem fim. Você vai deslizar direto para fora da cozinha!

– Nossa melhor jogada agora – disse Joe Chip – parece ser esta. Vamos pousar em Zurique. – Pegou o audiofone de micro-ondas, disponível na nave cara e bem equipada de Runciter, e discou o código regional da Suíça. – Colocando-o no mesmo moratório de Ella, podemos consultar os dois de modo simultâneo. Eles podem ser ligados eletronicamente, para funcionar em uníssono.

– Protofasonicamente – corrigiu Don Denny.

– Alguém sabe o nome do gerente do Moratório Entes Queridos?

– Herbert alguma coisa – disse Tippy Jackson. – Um nome alemão.

Wendy Wright, ponderando, disse:

– Herbert Schoenheit von Vogelsang. Eu me lembro porque uma vez o senhor Runciter me disse que significava "Herbert, a beleza do canto dos pássaros". Queria me chamar assim. Lembro que pensei isso na ocasião.

– Você pode se casar com ele – disse Tito Apostos.

– Eu vou me casar com Joe Chip – Wendy disse num tom sombrio, introspectivo, com uma gravidade inocente.

– Ah, é? – disse Pat Conley. Seus olhos negros, saturados pela luz, se acenderam. – Vai mesmo?

– Você consegue mudar isso também – disse Wendy – com o seu talento?

Pat disse:

– Estou morando com Joe. Sou eu que cuido dele. Conforme o nosso acordo, eu pago as contas dele. Paguei a porta hoje de manhã, para que saísse. Sem mim, ele ainda estaria dentro do condapto.

– E nossa viagem para Luna – disse Al Hammond – não teria acontecido. – Encarou Pat com uma expressão complexa.

– Talvez não hoje – observou Tippy Jackson –, mas acabaria acontecendo. Que diferença faz? De todo modo, acho que é bom para Joe ter uma mulher que pague sua porta. – Ela cutucou Joe no ombro. O rosto radiante deu a ele a impressão de uma aprovação obscena. Uma espécie de deleite emprestado diante de suas atividades pessoais, privadas. Dentro da senhora Jackson, sob a superfície extrovertida, havia uma *voyeur*.

– Dê-me o catálogo geral de números de vidfones da nave – ele disse. – Avisarei o moratório para nos aguardarem. – Consultou o relógio de pulso. Mais dez minutos de voo.

– Aqui está o catálogo, senhor Chip – disse Jon Ild, após uma busca. Ele lhe entregou a caixa quadrada e pesada com o teclado e o microescânner.

Joe digitou SUI, depois ZUR, depois MORA ENT QRD.

– Como o hebraico – disse Pat por trás dele. – Condensações semânticas. – O microescânner varreu para a frente e para trás, selecionando e descartando. Por fim, o mecanismo soltou um cartão perfurado, que Joe inseriu na fenda do receptor do fone.

O fone emitiu num tom metálico:

– Esta é uma gravação. – Expeliu o cartão perfurado vigorosamente. – O número que você me forneceu está obsoleto. Se precisar de ajuda, ponha um cartão vermelho no...

– Qual é a data desse catálogo? – Joe perguntou a Ild, que devolvia a caixa à prateleira de armazenamento de fácil acesso.

Ild examinou a informação gravada atrás da caixa.

– 1990. Dois anos.

– Não pode ser – disse Edie Dorn. – Esta nave não existia dois anos atrás. Tudo nela, e dentro dela, é novo.

Tito Apostos disse:

– Talvez Runciter tenha cortado alguns gastos.

– De jeito nenhum – disse Edie. – Ele esbanjou cuidado, dinheiro e perícia em engenharia com a *Pratfall II*. Todo mundo que já trabalhou com ele sabe disso. Esta nave é a menina dos olhos dele.

– *Era* a menina dos olhos dele – corrigiu Francis Spanish.

– Não estou pronto para admitir isso – disse Joe. Inseriu um cartão vermelho na fenda do receptor do fone. – Me dê o número atual do Moratório Entes Queridos em Zurique, na Suíça. – Para Francis Spanish, disse: – Esta nave ainda é a menina dos olhos dele, porque ele ainda existe.

Um cartão, que o fone havia perfurado para que ganhasse significado, saltou para fora. Joe o transferiu para a fenda de entrada. Desta vez, as operações computadorizadas do fone responderam sem irritação. Na tela, um rosto pálido e intrigante formou-se, o rosto do adulador intrometido que dirigia o Moratório Entes Queridos. Joe lembrou-se dele com antipatia.

– Sou Herr Herbert Schoenheit von Vogelsang. Veio me procurar em seu luto, senhor? Poderia pegar seu nome e endereço, caso aconteça de cair nossa ligação? – O dono do moratório endireitou a postura.

Joe disse:

– Houve um acidente.

– O que consideramos um "acidente" – disse von Vogelsang – é uma manifestação da obra de Deus. Em certo sentido, toda vida pode ser chamada de "acidente". E, no entanto, de fato...

– Não quero entrar em discussões teológicas – disse Joe. – Não neste momento.

– Este é o momento, dentre todos os momentos, em que os consolos da teologia trazem maior alívio. O falecido é um parente?

– Nosso empregador – disse Joe. – Glen Runciter da Runciter e Associados, de Nova York. A esposa dele, Ella, está com vocês. Pousaremos daqui a oito ou nove minutos. Podem deixar uma de suas vans de transporte de bolsa térmica à espera?

– Ele está em bolsa térmica agora?

– Não – disse Joe. – Ele está se aquecendo numa praia em Tampa, na Flórida.

– Presumo que sua resposta divertida indique que sim.

– Envie uma van para o espaçoporto de Zurique – disse Joe e desligou. Olha com quem teremos de lidar, refletiu, de agora em diante. – Vamos pegar Ray Hollis – disse aos inerciais agrupados à sua volta.

– Em vez de pegar o senhor Vogelsang? – perguntou Sammy Mundo.

– Pegar no sentido de acabar com ele – disse Joe. – Por ter causado isto. – Glen Runciter, ele pensou, congelado em posição vertical num caixão de plástico transparente, decorado com botões de rosa artificiais. Despertado para a atividade de meia-vida por uma hora a cada mês. Deteriorando, enfraquecendo, tornando-se indistinto... Jesus, ele pensou ferozmente, dentre todas as pessoas do mundo. Um homem tão cheio de vida. E vital.

– De qualquer modo – disse Wendy Wright –, ele estará mais próximo de Ella.

– De certa forma – disse Joe –, espero que o tenhamos colocado na bolsa térmica muito... – Ele parou, sem querer terminar a frase. – Não gosto de moratórios. Nem de donos de moratórios. Não gosto de Herbert Schoenheit von Vogelsang. Por que Runciter prefere moratórios suíços? Qual o problema de um moratório em Nova York?

– É uma invenção suíça – disse Edie Dorn. – E, de acordo com pesquisas imparciais, a extensão média de meia-vida de um determinado indivíduo num moratório suíço é duas horas inteiras maior que a de um indivíduo em um dos nossos. Os suíços parecem ter um jeito especial para a coisa.

– A ONU deveria abolir a meia-vida – disse Joe. – Por interferir no processo natural do ciclo de nascimento e morte.

Debochado, Al Hammond disse:

– Se Deus aprovasse a meia-vida, cada um de nós nasceria num caixão cheio de gelo seco.

Don Denny informou, diante do painel de controle:

– Estamos agora sob jurisdição do transmissor de micro-ondas de Zurique. Ele fará o resto. – Afastou-se do console, parecendo abatido.

– Anime-se – disse Eddie Dorn. – Para dizer algo cruel e insensível, pense em como todos nós tivemos sorte. Poderíamos estar mortos agora. Ou pela bomba, ou atingidos por laser após a explosão. Você se sentirá melhor depois que pousarmos. Estaremos muito mais seguros na Terra.

Joe disse:

– O fato de que tínhamos de ir a Luna deveria ter nos alertado. – Deveria ter alertado Runciter, ele se deu conta. – Por causa daquele buraco na lei que lidava com a autoridade civil em Luna. Runciter sempre disse: "Desconfie de qualquer pedido de serviço que exija nossa saída da Terra". Se estivesse vivo, estaria dizendo isso agora. "Especialmente, não morda a isca se quiserem nos deslocar para Luna. Muitas organizações de prudência já caíram nessa." – Se ele de fato reviver no moratório, pensou, será a primeira coisa que vai dizer. "Sempre desconfiei de Luna", dirá. Mas não desconfiou o suficiente. Era um trabalho desejável demais. Não conseguiu resistir. E assim, com a isca, pegaram-no. Como sempre soube que pegariam.

Os retrojatos da nave, acionados pelo transmissor de microondas de Zurique, soltaram um estrondo. A nave estremeceu.

– Joe – disse Tito Apostos –, você vai ter que contar a Ella sobre Runciter. Já se deu conta disso?

– Estou pensado nisso – disse Joe – desde que decolamos e partimos de volta.

A nave, diminuindo radicalmente a velocidade, preparou-se, por meio de vários sistemas homeostáticos de servoassistência, para o pouso.

– Além disso – disse Joe –, tenho que notificar a Sociedade do ocorrido. Vamos ter que ouvir muito. A primeira coisa que vão dizer é que caímos feito patinhos.

Sammy Mundo disse:

– Mas a Sociedade está do nosso lado.

– Ninguém – disse Al Hammond –, depois de um fiasco como este, estará do nosso lado.

Um helicóptero movido a energia solar com a inscrição MORATÓRIO ENTES QUERIDOS aguardava numa das extremidades do campo de Zurique. Ao lado dele havia um indivíduo que lembrava um besouro, usando um traje do exército continental: toga de tweed, mocassins, faixa carmesim na cintura e uma touca roxa com hélice de avião. O proprietário do moratório foi andando com afetação na direção de Joe Chip, a mão estendida com luva, quando Joe saía da rampa da nave para o solo plano da Terra.

– Não exatamente uma viagem repleta de alegrias, eu julgaria por sua aparência – von Vogelsang disse, enquanto trocavam um breve aperto de mãos. – Meus operários poderiam entrar em sua encantadora nave para começar...

– Sim – disse Joe. – Entrem e peguem-no. – Mãos nos bolsos, seguiu numa linha sinuosa até a lanchonete do campo de pouso, sentindo-se desoladamente lúgubre. Tudo procedimento padrão de agora em diante, deu-se conta. Voltamos para a Terra. Hollis não nos pegou... temos sorte. A operação lunar, toda a experiência terrível e medonha de uma ratoeira, acabou. E uma nova fase começa. Sobre a qual não temos nenhum poder direto.

– Cinco centavos, por favor – disse a porta da lanchonete, mantendo-se fechada diante dele.

Esperou um casal que estava saindo passar por ele; espremeu-se rente à porta e foi sentar num banco vazio. Encurvado, dedos entrelaçados sobre o balcão, leu o cardápio.

– Café.

– Creme ou açúcar? – O alto-falante da torre mônada dominante perguntou.

– Os dois.

A janelinha se abriu. Uma xícara de café, dois pacotes minúsculos de açúcar envolvidos em papel e um recipiente de creme que lembrava um tubo de ensaio deslizaram para a frente e foram parar diante dele no balcão.

– Um pós-cred internacional, por favor – disse o alto-falante.

Joe disse:

– Coloque na conta de Glen Runciter da Runciter e Associados, Nova York.

– Insira o cartão de crédito apropriado – disse o alto-falante.

– Não me deixam carregar um cartão de crédito há cinco anos – disse Joe. – Ainda estou acabando de pagar o que gastei lá em...

– Um pós-cred, por favor – disse o alto-falante. E começou um tique-taque agourento. – Ou, em dez segundos, vou comunicar à polícia.

Ele passou o pós-cred. O tique-taque parou.

– Não precisamos de gente como você – disse o alto-falante.

– Um dia desses – disse Joe com raiva – pessoas como eu vão se revoltar e destruir vocês, e será o fim da tirania das máquinas homeostáticas. O tempo dos valores humanos, da compaixão e do simples afeto retornará. E quando isso acontecer, uma pessoa como eu, que passou por uma provação e tem uma necessidade genuína de café quente para se animar e continuar funcionando quando tem que funcionar, conseguirá o café quente, tendo ela um pós-cred disponível no momento ou não. – Ergueu o jarro de creme em miniatura e o colocou de volta no balcão. – Além do mais, o seu creme, ou leite, ou o que quer que seja, azedou.

O alto-falante permaneceu em silêncio.

– Você não vai fazer nada? – disse Joe. – Tinha muito a dizer quando queria um pós-cred.

A porta paga da lanchonete abriu-se e Al Hammond entrou. Foi até Joe e sentou-se ao seu lado.

– O pessoal do moratório está com Runciter no helicóptero. Pronto para decolar, e querem saber se você pretende ir junto.

Joe disse:

– Olha esse creme. – Ele mostrou o jarro. Nele, o fluido se acumulava nos cantos, em coágulos densos. – Isto é o que se recebe por um pós-cred numa das cidades mais modernas e tecnologicamente avançadas da Terra. Não vou sair daqui até esta lanchonete fazer um acerto, seja devolvendo meu pós-cred, seja repondo um jarro de creme fresco para que possa tomar meu café.

Com a mão sobre o ombro de Joe, Al Hammond o observou com atenção.

– Qual é o problema, Joe?

– Primeiro, o meu cigarro. Depois o catálogo, obsoleto há dois anos. E agora estão me servindo creme de uma semana atrás. Não entendo, Al.

– Beba o café puro – disse Al. – E vá até o helicóptero para que possam levar Runciter ao moratório. Eu e o resto do grupo vamos esperar na nave, até você voltar. E depois seguiremos até o escritório mais próximo da Sociedade para passar um relatório completo.

Joe pegou a xícara de café e viu que o café estava frio, inerte e velho. Um bolor espumoso cobria a superfície. Ele baixou a xícara com repulsa. O que está acontecendo, pensou. O que está acontecendo comigo? Sua repulsa transformou-se, de uma só vez, num pânico estranho e nebuloso.

– Vamos, Joe – disse Al, a mão segurando com firmeza o ombro dele. – Esqueça o café, não é importante. O que importa é levar Runciter para...

– Sabe quem me deu aquele pós-cred? Pat Conley. E, na mesma hora, fiz o que sempre faço com dinheiro. Torrei com qualquer coisa. Com uma xícara de café do ano passado. – Ele desceu do banco, impelido pela mão de Al Hammond. – Que tal ir comigo para o moratório? Preciso de apoio, especialmente para conversar com Ella. O que deveríamos fazer, culpar Runciter? Dizer que foi decisão dele que todos fôssemos a Luna? Essa é a verdade. Ou, talvez, devêssemos dizer outra coisa a ela, dizer que a nave dele sofreu um acidente ou que ele morreu de causas naturais.

– Mas Runciter vai acabar sendo ligado a ela – disse Al. – E lhe dirá a verdade. Então, você tem que contar a verdade.

Eles saíram da lanchonete e foram até o helicóptero que pertencia ao Moratório Entes Queridos.

– Talvez eu deixe que Runciter conte a ela – disse Joe, enquanto embarcavam. – Por que não? A decisão de irmos a Luna foi dele. Deixe que ele mesmo conte. E ele está acostumado a falar com ela.

– Prontos, senhores? – perguntou von Vogelsang, sentado diante dos controles do helicóptero. – Podemos iniciar nossos passos dolorosos até a morada final do senhor Runciter?

Joe suspirou e olhou para fora, pela janela do helicóptero, fixando a atenção nos prédios que compunham as instalações do Campo de Zurique.

– Sim, decole – disse Al.

Quando o helicóptero saiu do solo, o dono do moratório apertou um botão no painel de controle. Por toda a cabine, a partir de uma dezena de fontes, o som da *Missa Solemis*, de Beethoven, vibrava com toda intensidade, as diversas vozes dizendo *"Agnus dei, qui tollis peccata mundi"* repetidas vezes, acompanhadas por uma orquestra sinfônica multiplicada eletronicamente.

– Sabia que Toscanini costumava cantar junto com os cantores enquanto regia uma ópera? – disse Joe. – Que em sua gravação da *Traviata* é possível ouvi-lo durante a ária "Sempre Libera"?

– Não sabia disso – respondeu Al. Ele via os condaptos lustrosos e robustos de Zurique passando abaixo, uma procissão digna e imponente que Joe também se pegou observando.

– *Libera me, Domine* – disse Joe.

– O que significa?

Joe disse:

– Significa "Deus, tenha piedade de mim". Você não sabia? Não é algo que todo mundo sabe?

– O que te fez pensar nisso? – disse Al.

– A música, a maldita música. – Disse a von Vogelsang: – Desliga a música. Runciter não pode ouvi-la. Sou o único que consegue ouvi-la, e não estou com vontade. – Para Al, falou: – Você não quer ouvir, quer?

Al disse:

– Calma, Joe.

– Estamos carregando nosso empregador morto para um lugar chamado Moratório Entes Queridos – disse Joe –, e ele me pede calma? Sabe, Runciter não tinha que ir conosco a Luna. Ele poderia ter nos enviado e ficado em Nova York. E agora, de todos os homens que conheci, o que mais amava a vida, que vivia com mais plenitude, foi...

– O conselho do seu companheiro de pele morena é bom – o dono do moratório entrou na conversa.

– Que conselho? – disse Joe.

– Para se acalmar. – Von Vogelsang abriu o porta-luvas do painel de controle do helicóptero. Entregou a Joe uma caixa alegre e multicolorida. – Mastigue um desses, senhor Chip.

– Chiclete tranquilizante – disse Joe, aceitando a caixa. Refletindo, ele a abriu. – Chiclete tranquilizante sabor pêssego. – E disse a Al: – Tenho que aceitar?

– Deveria – disse Al.

– Runciter nunca teria tomado um tranquilizante em circunstâncias do tipo. Glen Runciter nunca tomou um tranquilizante na vida. Sabe o que estou percebendo agora, Al? Ele deu a própria vida para salvar a nossa. De uma maneira indireta.

– Muito indireta – disse Al. – Chegamos. – O helicóptero havia começado a descer na direção de um alvo pintado num terraço. – Você acha que consegue se recompor?

– Consigo me recompor quando ouvir a voz de Runciter novamente. Quando souber que alguma forma de vida, meia-vida, ainda está lá.

O dono do moratório disse, animado:

– Eu não me preocuparia quanto a isso, senhor Chip. Geralmente, obtemos um fluxo protofasônico adequado. A princípio. É mais tarde, quando o período de meia-vida tiver se expandido, que a angústia aparece. Mas, com planejamento sensato, isso pode ser evitado durante muitos anos. – Desligou o motor do helicóptero e tocou um pino que fez a porta da cabine deslizar. – Bem-vindos ao Moratório Entes Queridos – disse, conduzindo os dois para fora do helicóptero e para o campo de pouso do terraço. – Minha secretária particular, a senhorita Beason, os acompanhará até um saguão de consultas. Se puderem aguardar lá, sendo subliminarmente induzidos à paz de espírito pelas cores e texturas que o cercam, pedirei para que lhes levem o senhor Runciter assim que meus técnicos estabelecerem contato com ele.

– Quero estar presente em todo o processo – disse Joe. – Quero ver os seus técnicos trazendo-o de volta.

Para Al, o dono do moratório disse:

– Talvez, sendo seu amigo, você possa fazê-lo entender.

– Temos que esperar no saguão, Joe – disse Al.

Joe olhou para ele ferozmente.

– Mucama.

– Todos os moratórios funcionam assim – disse Al. – Vem comigo para o saguão.

– Quanto tempo vai demorar? – Joe perguntou ao dono do moratório.

– Saberemos, de um jeito ou de outro, nos primeiros quinze minutos. Se não tivermos um sinal mensurável nesse intervalo...

– Vocês só vão tentar por quinze minutos? – Para Al, disse: – Eles só vão tentar por quinze minutos trazer de volta um homem maior do que todos nós juntos. – Ele sentiu vontade de chorar. Alto. – Vem – falou a Al. – Vamos...

– Vem você – repetiu Al. – Para o saguão.

Joe o seguiu até o saguão.

– Cigarro? – disse Al, sentando-se no sofá de couro de búfalo sintético. Ele estendeu seu maço para Joe.

– Estão velhos – disse Joe. Ele não precisava pegar um, tocar um, para saber.

– É, estão mesmo. – Al guardou o maço. – Como sabia? – Ele esperou. – Você desanima mais fácil do que qualquer um que já encontrei. Temos sorte de estarmos vivos. Poderíamos ser nós, todos nós, naquela bolsa térmica. E Runciter sentado aqui neste saguão com essas cores doidas. – Olhou para o relógio.

Joe disse:

– Todos os cigarros do mundo estão velhos. – Examinou seu próprio relógio. – Dez minutos. – Ponderava, com muitos pensamentos meditativos desarticulados e desconexos, que nadavam por ele como peixes prateados. Medos, aversões moderadas e apreensões. E todos os peixes prateados circulando de volta, para recomeçar sob a forma de medo. – Se Runciter estivesse vivo, sentado aqui neste saguão, tudo estaria bem. Sei disso, mas não sei por quê. – Ele se perguntava o que estaria acontecendo, naquele momento, entre os técnicos do moratório e os restos mortais de Glen Runciter. – Você se lembra dos dentistas.

– Não me lembro, mas sei o que eram.

– Os dentes das pessoas costumavam estragar.

– Isso eu entendo – disse Al.

– Meu pai me contou como era a sensação de espera num consultório de dentista. Toda vez que a assistente abria a porta, você pensava: Vai acontecer. A coisa que temi a vida toda.

– E é o que está sentindo agora? – perguntou Al.

– Eu sinto, nossa. Por que aquele bobão sem graça que dirige este lugar não entra aqui e diz que ele está vivo? Ou que não está? Uma coisa ou outra. Sim ou não.

– Quase sempre é sim. Estatisticamente, como disse Vogelsang...

– Neste caso não será não.

– Não tem como você saber isso.

Joe disse:

– Será que Ray Hollis tem um posto aqui em Zurique?

– É claro que tem. Mas quando você conseguir colocar um precog aqui dentro, já saberemos de todo modo.

– Ligarei para um precog – disse Joe. – Colocarei um na linha agora mesmo. – Ele se levantou de repente, perguntando-se onde encontraria um vidfone. – Me dá vinte e cinco centavos.

Al fez que não com a cabeça.

– De certa forma – disse Joe –, você é meu empregado. Tem que fazer o que mando, ou está demitido. Assim que Runciter morreu, assumi a direção da firma. Sou o responsável desde que a bomba detonou. Foi minha decisão trazê-lo aqui, e é minha decisão alugar os serviços de um precog por alguns minutos. Vinte e cinco centavos. – Ele estendeu a mão.

– A Runciter e Associados – disse Al – sendo dirigida por um homem que não consegue ficar com cinquenta centavos no bolso. Tome os vinte e cinco. – Ele tirou a moeda do bolso, jogou para Joe. – Quando fizer o cheque do meu pagamento, acrescente isso.

Joe saiu do saguão e andou sem rumo por um corredor, esfregando a testa, exausto. Este é um lugar antinatural, pensou. No meio do caminho entre o mundo e a morte. Eu *sou* o chefe da Runciter e Associados agora, ele percebeu, com exceção de Ella, que não está viva e só pode falar se eu vier aqui e pedir para que a revivam. Sei das especificações do testamento de Glen Runciter, que agora passaram a ter efeito automaticamente. Devo assumir até que Ella, ou os dois, caso ele possa ser reavivado, decida quem me substituirá. Eles têm que concordar, ambos os testamentos tornam isso obrigatório. Talvez, pensou, decidam que posso ficar na função de forma permanente.

Isso nunca vai acontecer, deu-se conta. Não para alguém que não consegue administrar suas próprias responsabilidades fiscais. Isso é mais uma coisa que um precog de Hollis saberia, deu-se conta. Posso descobrir com ele se serei promovido a diretor da firma ou não. É algo que valeria a pena saber, junto com todas as outras coisas. E tenho que contratar o precog de qualquer maneira.

– Pra que lado tem um vidfone público? – perguntou a um funcionário do moratório de uniforme. O funcionário apontou. – Obrigado – ele disse e seguiu andando devagar, chegando finalmente ao vidfone público. Ergueu o fone, esperou ouvir o sinal e depois colocou a moeda que Al lhe havia dado.

O vidfone disse:

– Sinto muito, senhor, mas não posso aceitar dinheiro obsoleto. – A moeda saiu tinindo da base do vidfone, e foi parar nos seus pés. Expelida com repugnância.

– Como assim? – perguntou ele, curvando-se desajeitadamente para reaver a moeda. – Desde quando uma moeda de vinte e cinco centavos da Confederação Norte-Americana é obsoleta?

– Sinto muito, senhor – disse o vidfone –, a moeda que colocou em mim não era um *quarter* da Confederação Norte-Americana, mas uma emissão já fora de circulação da casa da moeda da Filadélfia, dos Estados Unidos da América. É de interesse meramente numismático, agora.

Joe examinou a moeda e viu, na superfície embaçada, o perfil em baixo-relevo de George Washington. E a data. A moeda tinha quarenta anos. E, como o vidfone dissera, estava fora de circulação há muito tempo.

– Está com dificuldades, senhor? – um funcionário do moratório perguntou, aproximando-se com uma atitude cortês. – Vi o fone expelir sua moeda. Posso examiná-la? – Ele estendeu a mão e Joe lhe deu o *quarter* americano. – Trocarei com você uma ficha atual de dez francos suíços por isto, que o vidfone aceitará.

– Ótimo – disse Joe. Fez a troca, colocou a ficha de dez francos no vidfone e discou o número internacional gratuito de Hollis.

– Hollis Talentos – uma voz feminina polida disse em seu ouvido, e, na tela, o rosto de uma garota, modificada com auxílio estético artificial de natureza avançada, manifestou-se. – Ah, senhor Chip – a garota o reconheceu. – O senhor Hollis nos deixou um aviso de que o senhor iria ligar. Ficamos esperando a tarde toda.

Precogs, pensou Joe.

– O senhor Hollis – disse a garota – instruiu-nos a passar sua ligação para ele. Quer cuidar das suas necessidades pessoalmente. Poderia esperar um momento, enquanto transfiro a ligação? Só um momento, então, senhor Chip. A próxima voz que ouvirá será a do senhor Hollis, se Deus quiser. – O rosto desapareceu, ele ficou diante de uma tela cinza vazia.

Um rosto azul e austero, de olhos fundos, foi entrando em foco, um semblante misterioso flutuando sem pescoço ou corpo. Os olhos lembravam-lhe joias imperfeitas. Brilhavam, mas as facetas estavam erradas. Os olhos refletiam a luz em direções irregulares.

– Olá, senhor Chip.

Então, ele é assim, pensou Joe. As fotografias não captavam isso, os planos e superfícies imperfeitos, como se todo o frágil edifício tivesse desmoronado uma vez, quebrado, colado de novo, mas não exatamente como era antes.

– A Sociedade – disse Joe – receberá um relatório completo sobre como você assassinou Glen Runciter. Eles têm muitos talentos jurídicos, você passará o resto da vida nos tribunais. – Esperou, mas o rosto não reagiu. – Sabemos que foi você – ele disse e sentiu a futilidade daquilo, a falta de sentido do que estava fazendo.

– Quanto ao propósito da sua ligação – Hollis disse com uma voz escorregadia que, para Joe, lembrava cobras se arrastando umas sobre as outras –, o senhor Runciter não vai...

Tremendo, Joe pôs o fone de volta no gancho.

Voltou pelo corredor de onde viera, chegou mais uma vez ao saguão em que Al estava sentado, aborrecido, tentando juntar os pedaços, secos feito pó, do que um dia fora um cigarro. Houve um momento de silêncio e Al levantou a cabeça.

– É não – disse Joe.

– Vogelsang veio procurar você – disse Al. – Ele agiu de modo muito estranho, e ficou óbvio o que estava acontecendo lá atrás. Pode apostar que está com medo de lhe dizer diretamente. Ele provavelmente vai fazer um longo discurso, mas, no final das contas, é o que você está dizendo, a resposta será não. E agora? – Esperou.

– Agora, pegamos Hollis – disse Joe.

– Não vamos pegar Hollis.

– A Sociedade... – ele parou. O dono do moratório havia entrado em silêncio no saguão, parecendo nervoso e perturbado, mas tentando, ao mesmo tempo, emitir uma aura de bravura imparcial e abnegada.

– Fizemos o que podíamos. A temperaturas tão baixas, o fluxo de corrente é quase livre de obstáculos. Não há nenhuma resistência perceptível a menos 150g. O sinal deveria ter irrompido claro e forte, mas tudo o que conseguimos no amplificador foi um zumbido de sessenta ciclos. Lembre-se, no entanto, de que não supervisionamos a instalação original da bolsa térmica. Tenha isso em mente.

Al disse:

– Temos isso em mente. – Ele se levantou, num movimento cerimonioso, e ficou de frente para Joe. – Acho que é isso.

– Vou falar com Ella – disse Joe.

– Agora? – disse Al. – Melhor esperar até saber o que vai dizer. Conte a ela amanhã. Vá para casa e durma um pouco.

– Ir para casa – disse Joe – é ter que encontrar Pat Conley. Também não estou em condições de lidar com ela.

– Fique num quarto de hotel aqui em Zurique – disse Al. – Desapareça. Eu volto para a nave, conto aos outros e informo a Sociedade. Você pode delegar isso a mim por escrito. – Disse a Vogelsang: – Traga uma caneta e uma folha de papel.

– Sabe com quem estou com vontade de falar? – disse Joe, enquanto o dono do moratório saía correndo em busca de caneta e papel. – Wendy Wright, ela saberá o que fazer. Valorizo sua opinião. Por que será, eu me pergunto. Mal a conheço. – Notou, então, que uma música de fundo sutil pairava no saguão. Estivera lá o tempo todo. A mesma do helicóptero. *"Dies irae, dies illa"* – as vozes cantavam sombrias. *"Solvet saeclum in favilla, teste David cum Sybilla."* O *Requiem* de Verdi, percebeu. Von Vogelsang, provavelmente ele mesmo, com as próprias mãos, ligava o som às nove da manhã, todos os dias, ao chegar para o trabalho.

– Quando conseguir seu quarto num hotel – disse Al –, eu poderia convencer Wendy Wright a aparecer lá.

– Isso seria imoral – disse Joe.

– O quê? – Al o encarou fixamente. – Num momento como este? Quando toda a organização está prestes a afundar no esquecimento, a menos que você se recomponha? Qualquer coisa que o faça funcionar é desejável, necessária, na verdade. Volte ao vidfone, ligue para um hotel, volte aqui, diga-me o nome do hotel e o...

– Todo o nosso dinheiro é inútil – disse Joe. – Não posso usar o telefone, a menos que encontre um colecionador de moedas que troque meu dinheiro por dez francos suíços de emissão atual.

– Nossa – disse Al. Ele soltou o ar num suspiro sonoro e balançou a cabeça.

– A culpa é *minha*? – perguntou Joe. – Eu fiz aquela moeda que você me deu ficar obsoleta? – Sentiu raiva.

– De algum jeito esquisito – disse Al –, sim, a culpa é sua. Mas não sei como. Talvez um dia eu consiga entender. OK, vamos os dois voltar à *Pratfall II*. Você pode encontrar Wendy Wright lá e levá-la a um hotel.

"Quantus tremor est futurus", as vozes cantaram. *"Quando judex est venturus, cuncta stricte discussurus."*

– Com o que vou pagar o hotel? Não vão querer nosso dinheiro, como o vidfone não quis.

Xingando, Al puxou sua carteira, examinou as notas.

– Estas estão velhas, mas ainda em circulação. – Inspecionou as moedas no bolso. – Estas estão fora de circulação. – Jogou as moedas no carpete do saguão, livrando-se delas, como o vidfone havia feito, com repulsa. – Fique com as notas. – Entregou as cédulas a Joe. – Aí tem o suficiente para o quarto de hotel por uma noite, jantar e alguns drinques para vocês dois. Enviarei uma nave de Nova York amanhã, para buscá-los.

– Eu lhe devolverei esse dinheiro. Como diretor temporário da Runciter e Associados, receberei um salário maior. Serei capaz de pagar todas as minhas dívidas, incluindo os impostos atrasados, penalidades e multas, que o pessoal do imposto de renda...

– Sem Pat Conley? Sem a ajuda dela?

– Posso colocá-la pra fora agora – disse Joe.

Al disse:

– Eu duvido.

– Este é um novo começo pra mim. O começo de uma vida nova. – Sou capaz de dirigir a firma, disse a si mesmo. Com certeza, não cometerei o erro que Runciter cometeu. Hollis, fazendo-se passar por Stanton Mick, não seduzirá a mim e a meus inerciais para deixarmos a Terra e ficarmos ao seu alcance.

– Na minha opinião – disse Al sem sinceridade –, você tem uma vontade de falhar. Nenhuma combinação de circunstâncias, incluindo esta, vai mudar isso.

– O que tenho, na verdade – disse Joe –, é uma vontade de ser bem-sucedido. Glen Runciter viu isso, motivo pelo qual especificou em seu testamento que eu assumiria no caso de sua morte e da falha do Moratório Entes Queridos em reanimá-lo para a meia-vida, ou de qualquer outro moratório bem-conceituado, conforme indicação minha. – Dentro dele, sua confiança ressurgia. Ele agora via as múltiplas possibilidades à frente, tão claras quanto se tivesse habilidades de precog. Então se lembrou do talento de Pat, o que ela era capaz de fazer com precogs, com qualquer tentativa de previsão do futuro.

"Tuba mirum spargens sonum", cantaram as vozes. *"Persepulchra regionum coget omnes ante thronum."*

Interpretando sua expressão, Al disse:

– Você não vai colocá-la para fora. Não com o que ela é capaz de fazer.

– Vou alugar um quarto no Hotel Zurique Rootes – decidiu Joe. – Conforme a sugestão que você fez. – Mas, pensou, Al está certo. Não vai funcionar. Pat, ou até algo pior, interferirá para me destruir. Estou condenado, no sentido clássico. Uma imagem atirou-se em sua mente agitada e exausta: um pássaro preso em teias de aranha. A passagem do tempo pairava na imagem, e isso o assustou. Esse aspecto parecia literal e real. E, pensou, profético. Mas não conseguia compreender exatamente como. As moedas, pensou. Fora de circulação, rejeitadas pelo vidfone. Itens de colecionador. Como as que se encontram nos museus. É isso? Difícil saber. Na verdade, ele não entendia.

"Mors stupebit", cantaram as vozes. *"Et natura, cum resurget creatura, judicanti responsura."* Elas continuaram cantando, sem parar.

8

Se você está se sentindo no fundo do poço por causa das preocupações com dinheiro, fale com a moça da Ubik Poupanças & Empréstimos. Ela acaba com a dor de ser devedor. Digamos, por exemplo, que você obtenha 59 pós-creds num empréstimo, pagando apenas os juros. Vejamos, o total será de...

A luz que entrava no elegante quarto de hotel embaralhava-se, revelando formas majestosas que Joe notava, vagamente, se tratarem da mobília: grandes cortinas pintadas à mão por uma espécie de neo-silkscreen que retratavam a ascensão do homem, dos organismos unicelulares do Período Cambriano do primeiro voo de uma aeronave mais pesada que o ar no século 20. Uma cômoda grandiosa de mogno artificial, quatro cadeiras multicores criptocromadas e reclináveis... Admirou, meio tonto, o esplendor do quarto, depois se deu conta, com um tremor de decepção aguda, de que Wendy não tinha batido à porta. Ou então ele não a ouvira. Estava despertando de um sono profundo demais.

Assim, o novo império de sua hegemonia desapareceu no momento em que começou a existir.

Impregnado de melancolia e entorpecido – vestígios do dia anterior –, saiu cambaleando da cama grande, encontrou suas roupas e vestiu-se. Estava frio de um modo incomum. Ele percebeu e refletiu a respeito. Depois, pegou o fone e discou o número do serviço de quarto.

– ...fazê-lo pagar por isso se possível de algum modo – o fone declarou em seu ouvido. – Primeiro, é claro, tem que descobrir se Stanton Mick estava de fato envolvido, ou se um mero substituto homossimulatório agia contra nós. E caso tenha sido isso, por quê? Caso não tenha sido, então, como... – A voz seguiu no tom uniforme, falando sozinha, e não com Joe. Parecia não ter consciência de que ele ouvia, como se ele não existisse. – Todos os nossos relatórios prévios – declarou a voz – dão a impressão de que Mick geralmente age de maneira respeitável e de acordo com as práticas éticas e legais estabelecidas por todo o Sistema. Em virtude disso...

Joe pôs o fone no gancho e ficou oscilando com tontura, tentando clarear a cabeça. *A voz de Runciter.* Acima de qualquer dúvida. Pegou o fone de novo, ouviu mais uma vez.

– ...ação judicial da parte de Mick, que tem condições de pagar e está acostumado a litígios dessa natureza. Nossa própria equipe jurídica certamente deveria ser consultada, antes de fazermos um relatório formal para a Sociedade. Seria calúnia, caso viesse a público, e daria margem a um processo alegando detenção indevida se...

– Runciter! – disse Joe. Em voz alta.

– ...incapaz de verificar, provavelmente por pelo menos...

Joe desligou.

Não entendo isso, disse a si mesmo.

No banheiro, jogou água gelada no rosto, penteou o cabelo com um pente higiênico de cortesia do hotel. Em seguida, depois de meditar por um tempo, fez a barba com a gilete higiênica e descartável de cortesia do hotel. Espalhou loção pós-barba higiênica de cortesia do hotel no queixo, pescoço e face, abriu a embalagem do copo higiênico de cortesia do hotel e bebeu água. Será que o moratório finalmente conseguiu revivê-lo?, perguntou-se. E fez uma conexão com o meu fone? Runciter, assim que voltasse, iria querer falar comigo, provavelmente antes de qualquer outra pessoa. Mas se fosse o caso, por que não consegue me ouvir? Por que se trata de uma transmissão de mão única apenas? Seria apenas um defeito técnico que será resolvido?

Voltando, pegou o fone mais uma vez com a ideia de ligar para o Moratório Entes Queridos.

– ...não é a pessoa ideal para dirigir a firma, em vista de suas confusas dificuldades pessoais, especialmente...

Não posso ligar, percebeu. Pôs o fone no gancho. Não consigo sequer falar com o serviço de quarto.

Num canto do quarto grande, um toque soou e uma voz metálica e mecânica anunciou:

– Sou sua máquina de homeojornais de cortesia, um serviço fornecido exclusivamente por todos os refinados Hotéis Rootes, espalhados por toda a Terra e colônias. Apenas disque a classificação de notícias que deseja, e, em questão de segundos, fornecerei prontamente um homeojornal recente, superatualizado, personalizado de acordo com suas exigências individuais. E, permita-me repetir, sem nenhum custo para você!

– OK – disse Joe, e atravessou o quarto para se aproximar da máquina. Talvez, a esta altura, refletiu, a notícia do assassinato de Runciter já tenha saído. A mídia de notícias cobre todas as entradas em moratórios com regularidade. Apertou o botão que indicava *info interplan nível alto*. Na mesma hora, a máquina começou a liberar, com um som de engrenagens, uma folha impressa, que ele recolheu assim que saiu.

Nenhuma menção a Runciter. Cedo demais? Ou a Sociedade havia dado um jeito de acobertar o caso? Ou Al, pensou. Talvez Al tenha passado alguns pós-creds para o dono do moratório. Mas... ele mesmo estava com todo o dinheiro de Al. Al não podia subornar ninguém para fazer coisa alguma.

Alguém bateu à porta do quarto do hotel.

Joe soltou o homeojornal e dirigiu-se à porta com precaução, pensando ser provável que seja Pat Conley. Ela me encurralou aqui. Por outro lado, pode ser alguém de Nova York que veio para me levar de volta. Teoricamente, presumiu, poderia até ser Wendy. Mas isso não parecia plausível. Não agora, não tão tarde.

Também poderia ser um assassino enviado por Hollis. Ele poderia estar nos matando um a um.

Joe abriu a porta.

Tremendo de inquietação, retorcendo as mãos flácidas, estava Herbert Schoenheit von Vogelsang parado diante dele, murmurando:

– Eu simplesmente não entendo, senhor Chip. Trabalhamos a noite toda, fazendo revezamentos. Simplesmente não conseguimos uma única fagulha. E, no entanto, fizemos um eletroencefalograma, e a imagem mostra uma atividade cerebral tênue, mas inconfundível. Então, a vida após a morte está lá, mas ainda não somos capazes de penetrá-la. Estamos com sondas por toda parte do córtex agora. Não sei o que mais podemos fazer, senhor.

– Existe algum metabolismo cerebral mensurável?

– Sim, senhor. Chamamos um especialista externo, de outro moratório, e ele o detectou, usando seu próprio equipamento. E a quantidade é normal. Exatamente o que se esperaria imediatamente após a morte.

– Como sabia onde me encontrar? – perguntou Joe.

– Ligamos para o senhor Hammond em Nova York. Depois tentei ligar para o senhor, aqui no hotel, mas seu fone esteve ocupado a manhã inteira. Por isso achei necessário vir aqui pessoalmente.

– Está quebrado – disse Joe. – O fone. Também não consigo fazer ligações para fora.

O dono do moratório disse:

– O senhor Hammond tentou entrar em contato com o senhor também, sem êxito. Ele me pediu para lhe dar um recado, algo que quer que o senhor faça aqui em Zurique antes de partir de volta para Nova York.

– Ele quer me lembrar – disse Joe – de consultar Ella.

– Para informá-la da morte infeliz e prematura do marido.

– Pode me emprestar alguns pós-creds? Para o café da manhã?

– O senhor Hammond me advertiu de que o senhor tentaria emprestar dinheiro de mim. Ele me informou que já lhe havia fornecido fundos suficientes para pagar o seu quarto, mais uma rodada de bebidas, assim como...

– Al baseou sua estimativa no pressuposto de que eu alugaria um quarto mais modesto que este. No entanto, não havia nada mais modesto disponível, o que não previu. Você pode adicionar a quantia à declaração de custos que apresentará à Runciter e Associados no fim do mês. Sou agora, como Al provavelmente lhe disse, diretor interino da firma. Você está lidando com um homem poderoso, que pensa positivo, que galgou seu caminho passo a passo até o topo. Eu poderia, como deve perceber muito bem, reconsiderar nossa política básica quanto à decisão de qual moratório desejamos patrocinar. Podemos, por exemplo, preferir um mais próximo de Nova York.

Aborrecido, von Vogelsang pôs a mão dentro de sua toga de tweed e retirou uma carteira de imitação de pele de crocodilo, em que começou a remexer.

– O mundo em que vivemos é cruel – disse Joe, aceitando o dinheiro. – A regra é "Cada um cuida do seu".

– O senhor Hammond me deu mais informações a serem transmitidas ao senhor. A nave do seu escritório de Nova York chegará a Zurique daqui a duas horas. Aproximadamente.

– Ótimo – disse Joe.

– Para que o senhor possa ter bastante tempo para deliberar com Ella, o senhor Hammond enviará a nave para buscá-lo no moratório. Em virtude disso, o senhor Hammond sugere que o leve de volta ao moratório comigo. Meu helicóptero está estacionado no terraço do hotel.

– Al Hammond disse isso? Que eu deveria retornar ao moratório com você?

– Isso mesmo – von Vogelsang acenou com a cabeça.

– Um negro alto, de ombros curvados, cerca de 49 anos? Com os dentes da frente cobertos de ouro, cada um com um desenho ornamental, o da esquerda um sinal de copas, o outro, paus, o da direita, ouros?

– O homem que veio conosco do campo de pouso de Zurique ontem, que aguardou com o senhor no moratório.

– Ele estava usando calça curta de feltro verde, meias de golfe cinza, blusa de pele de texugo aberta no diafragma e escarpim de imitação de couro envernizado?

– Não pude ver o que estava usando. Só vi seu rosto na vidtela.

– Ele transmitiu alguma palavra de código específica para que tivesse certeza de que era ele?

O dono do moratório disse irritado:

– Não entendo qual o problema, senhor Chip. O homem que falou comigo ao vidfone, de Nova York, era o mesmo homem que estava com o senhor ontem.

– Não posso arriscar – disse Joe – e ir com você, entrar no seu helicóptero. Talvez Ray Hollis o tenha enviado. Foi Ray Hollis quem matou o senhor Runciter. – Os olhos como botões de vidro, von Vogelsang disse:

– O senhor informou a Sociedade de Prudência?

– Informaremos. Vamos chegar a isso no momento devido. Por enquanto, temos que tomar cuidado para que Hollis não pegue o resto de nós. Ele pretendia nos matar também, lá em Luna.

– Precisa de proteção. Sugiro que vá imediatamente ao fone e ligue para a polícia de Zurique. Vão designar um homem para protegê-lo até que parta para Nova York. E assim que chegar a Nova York...

– Meu fone, como disse, está quebrado. Tudo o que ouço nele é a voz de Glen Runciter. É por isso que ninguém conseguiu falar comigo.

– Sério? Muito surpreendente. – O dono do moratório passou por ele num movimento sinuoso e entrou no quarto. – Posso escutar? – Ele pegou o fone com expressão de questionamento.

– Um pós-cred – disse Joe.

Enfiando a mão nos bolsos da toga de tweed, o dono do moratório retirou um punhado de moedas. Sua touca com hélice de avião zumbia, irritável, enquanto ele entregava três das moedas para Joe.

– Só estou lhe cobrando o que pedem por uma xícara de café aqui – disse Joe. – Isso deve valer, pelo menos o mesmo tanto. – Ao pensar isso, percebeu que não havia tomado café da manhã, e que estaria diante de Ella nesse estado. Bem, ele poderia tomar uma anfetamina no lugar do café. O hotel provavelmente as fornecia de graça, como cortesia.

Segurando o fone apertado contra a orelha, von Vogelsang disse:

– Não ouço nada. Nem um sinal de linha. Agora ouço um pouco de estática. Como se viesse de grande distância. Muito débil. – Ele estendeu o fone para Joe, que o pegou e também tentou ouvir.

Do mesmo modo, ouviu a estática distante. De milhares de quilômetros dali, pensou. Sinistro. Tão desconcertante, à sua própria maneira, quanto a voz de Runciter – se tinha sido isso mesmo o que ouvira. – Vou devolver seu pós-cred – disse ele, pondo o fone de volta no gancho.

– Não se incomode – disse von Vogelsang.

– Mas você não conseguiu ouvir a voz dele.

– Vamos voltar para o moratório. Conforme o pedido do senhor Hammond.

– Al Hammond é meu empregado. Eu dou as diretrizes. Acho que voltarei a Nova York antes de falar com Ella. Na minha opinião, é mais importante elaborar nossa notificação formal à Sociedade. Quando falou com Al Hammond, ele disse se todos os inerciais tinham deixado Zurique com ele?

– Todos, menos a garota que passou a noite aqui com o senhor no hotel. – Intrigado, o dono do moratório olhou à volta, claramente perguntando-se onde ela estaria. Sua expressão peculiar se fundiu com preocupação. – Ela não está aqui?

– Que garota era essa? – Joe perguntou. Seu moral, já baixo, mergulhou nas profundezas mais negras de sua mente.

– O senhor Hammond não disse. Presumiu que o senhor saberia. Teria sido indiscrição da parte dele me dizer o nome dela, dadas as circunstâncias. Ela não...

– Ninguém apareceu. – Qual delas teria sido? Pat Conley? Ou Wendy? Perambulou pelo quarto de hotel, num ato reflexo para liquidar o medo. Espero, por Deus, que tenha sido Pat.

– No armário – disse von Vogelsang.

– O quê? – ele parou de andar.

– Talvez devesse olhar lá dentro. Essas suítes mais caras possuem armários muito espaçosos.

Joe tocou o batente do armário. Seu mecanismo de mola fez com que se abrisse com ímpeto.

No fundo do armário, um amontoado confuso, desidratado, quase mumificado, encontrava-se encolhido. Trapos deteriorados do que parecia ter sido um tecido cobriam a maior parte daquilo, como se a coisa tivesse, gradualmente, ao longo de um extenso período de tempo, se retraído para dentro do que restava de suas vestimentas. Curvando-se, ele virou o monte. Pesava apenas alguns quilos. Com o empurrão de sua mão, os membros desdobraram-se em finas extensões ósseas que farfalharam feito papel. O cabelo parecia consideravelmente longo. Fibrosa e embaraçada, a nuvem negra de cabelos obscurecia o rosto. Ele se agachou, sem se mover, sem querer ver quem era.

Com uma voz sufocada, von Vogelsang disse, rouco:

– Isso é velho. Completamente ressecado. Como se estivesse aqui há séculos. Vou lá embaixo avisar o gerente.

– Não pode ser uma mulher adulta – disse Joe. Esses só poderiam ser os restos mortais de uma criança. Simplesmente eram pequenos demais. – Não podem ser os restos de Pat ou Wendy – ele disse e ergueu a nuvem de cabelos do rosto. – É como se tivesse ficado num forno. A uma temperatura muito alta, por muito tempo. – A explosão, ele pensou. O calor violento da bomba.

Ficou olhando em silêncio, então, para o pequeno rosto murcho e enegrecido pelo calor. E soube quem era. Com dificuldade, reconheceu-a.

Wendy Wright.

Em algum momento, durante a noite, ele raciocinou, ela entrou no quarto, e então algum processo teve início nela, ou em torno dela. Ela percebeu e tentou se retirar, escondendo-se no armário, para que ele não soubesse. Em suas últimas horas de vida – talvez minutos. Ele esperava que tivessem sido apenas minutos – o efeito tomou conta dela, mas ela não emitiu nenhum som. Não o acordou. Ou, pensou, tentou e não conseguiu, não conseguiu atrair minha atenção. Talvez tenha sido depois disso, depois de tentar e não poder me despertar, que ela rastejou até o armário.

Peço a Deus, pensou, que tenha acontecido rápido.

– Não pode fazer nada por ela? – perguntou a von Vogelsang. – No seu moratório?

– Não tão tarde. Não haveria nenhuma meia-vida residual, não com essa deterioração completa. Ela é... a tal?

– Sim – Joe respondeu, acenando com a cabeça.

– É melhor o senhor deixar este hotel. Já. Para a sua própria segurança. Hollis... é Hollis, não é? Ele fará isso com o senhor também.

– Meus cigarros – disse Joe. – Secos. O catálogo de dois anos atrás na nave. O café com creme azedo, com espuma, bolor. O dinheiro obsoleto. – Um encadeamento em comum: envelhecimento. – Ela disse isso lá em Luna, quando conseguimos chegar à nave. Disse: "Eu me sinto velha" – Ele refletiu, tentando controlar o medo, que havia começado a se transformar em terror. Mas a voz ao fone, pensou. A voz de Runciter. O que significava aquilo?

Ele não via nenhum padrão subjacente, nenhum sentido. A voz de Runciter ao vidfone não se encaixava em nenhuma teoria que ele pudesse evocar ou imaginar.

– Radiação – disse von Vogelsang. – A mim parece que ela foi exposta à intensa radioatividade, provavelmente algum tempo atrás. Uma quantidade enorme, na verdade.

– Acho que ela morreu por causa da explosão. A explosão que matou Runciter. – Partículas de cobalto, disse Joe a si mesmo. A poeira quente que se depositou nela e que ela inalou. Mas, então, nós todos vamos morrer dessa forma. Ela deve ter se depositado sobre todos nós. Está nos meus próprios pulmões. Assim como nos de Al. Assim como nos de todos os inerciais. Não há nada que possa ser feito nesse caso. É tarde demais. Não pensamos nisso, ele percebeu. Não nos ocorreu que a explosão consistia em uma reação nuclear micrônica.

Não é de admirar que Hollis nos tenha deixado partir. E ainda assim...

Isso explicava a morte de Wendy e explicava os cigarros ressecados. Mas não o catálogo, nem as moedas, nem a decomposição do café com creme.

Tampouco explicava a voz de Runciter, o monólogo queixoso no vidfone do quarto do hotel que cessou quando von Vogelsang tirou o fone do gancho. Quando outra pessoa tentou escutar, ele percebeu.

Tenho que voltar para Nova York, disse a si mesmo. Todos nós que estivemos lá em Luna – todos que estávamos presentes quando a bomba foi detonada. Temos que resolver isso juntos. Na verdade, esta é provavelmente a única forma de resolver isso, antes que o restante de nós morra, um por um, do jeito que Wendy morreu. Ou de um jeito ainda pior, se algo assim for possível.

– Peça para o gerente do hotel enviar um saco de polietileno para cá – disse ao dono do moratório. – Eu a colocarei dentro e a levarei para Nova York comigo.

– Essa não é uma questão para a polícia? Um assassinato horrível como esse. A polícia deveria ser informada.

Joe disse:

– Apenas consiga o saco.

– Está bem. É sua funcionária. – O dono do moratório saiu, rapidamente, pelo corredor.

– Foi um dia – disse Joe. – Não é mais. – Tinha que ser ela primeiro. Mas talvez, num certo sentido, seja melhor. Wendy, pensou, vou levá-la comigo, levá-la para casa.

Mas não como ele havia planejado.

Aos outros inerciais sentados em torno da enorme mesa de conferência de carvalho genuíno, Al Hammond disse, interrompendo de modo abrupto o silêncio conjunto:

– Joe deve estar de volta a qualquer momento. – Olhou para o seu relógio de pulso para se certificar. Parecia estar parado.

– Enquanto isso – disse Pat Conley –, sugiro assistirmos ao noticiário do final da tarde na TV, para ver se Hollis deixou vazar a notícia da morte de Runciter.

– Não estava no jornal hoje – disse Edie Dorn.

– O noticiário da TV é muito mais recente – disse Pat. Ela deu a Al uma moeda de cinquenta centavos, para ligar a TV instalada atrás das cortinas na outra extremidade da sala de reuniões, um impressionante mecanismo polifônico 3-D em cores que havia sido fonte de orgulho para Runciter.

– Quer que eu insira a moeda para o senhor, senhor Hammond? – Sammy Mundo perguntou, ansioso.

– OK – disse Al. Pensativo, jogou a moeda para Mundo, que a pegou e correu até o aparelho.

Irrequieto, Walter W. Wayles, o advogado de Runciter, remexia-se na cadeira, fazia pequenos movimentos nervosos com as mãos aristocráticas, de veias finas, na trava de sua pasta, e disse:

– Gente, vocês não deviam ter deixado o senhor Chip em Zurique. Não podemos fazer nada até que ele chegue aqui, e é extremamente vital que todas as questões que dizem respeito ao senhor Runciter sejam encaminhadas.

– O senhor leu o testamento – disse Al. – Assim como Joe Chip. Sabemos quem Runciter queria que assumisse a direção da firma.

– Mas do ponto de vista legal... – Wayles começou.

– Não vai demorar muito mais – Al disse, bruscamente. Com sua caneta, riscou linhas aleatórias ao longo das margens da lista que havia feito. Preocupado, adornou a lista, depois a leu novamente.

CIGARROS VELHOS
CATÁLOGO DESATUALIZADO
DINHEIRO OBSOLETO
COMIDA APODRECIDA
ANÚNCIO NOS FÓSFOROS

– Vou passar esta lista pela mesa mais uma vez – disse ele, em voz alta. – E ver se, desta vez, alguém consegue descobrir uma conexão entre estas cinco ocorrências... ou como quiserem denominá-las. Estas cinco coisas que estão... – Ele gesticulou.

– Estão erradas – disse Jon Ild.

Pat Conley disse:

– É fácil ver a ligação entre as quatro primeiras. Mas não com a cartela de fósforos. Ela não se encaixa.

– Deixa eu ver a cartela mais uma vez – disse Al, estendendo a mão. Pat lhe deu a cartela, e ele leu o anúncio novamente.

INCRÍVEL OPORTUNIDADE DE AVANÇO
PARA TODOS QUE ESTEJAM QUALIFICADOS!

O senhor Glen Runciter, do Moratório Entes Queridos de Zurique, Suíça, dobrou sua renda em uma semana, recebendo nosso kit gratuito de sapatos com informações detalhadas sobre como você também pode vender nossos mocassins de autêntico couro simulado para amigos, parentes e colegas de trabalho. O senhor Runciter, ainda que desamparadamente congelado em bolsa térmica, ganhou quatrocentos

Al parou de ler. Refletiu, enquanto cutucava um dente inferior com a unha do polegar. Sim, pensou. Isto é diferente, este anúncio. Os outros consistem em obsolescências e deterioração. Mas isto, não.

– Eu me pergunto – disse em voz alta – o que aconteceria se respondêssemos a este anúncio. Ele fornece um número de caixa postal de Des Moines, em Iowa.

– Receberíamos um kit de sapatos de graça – disse Pat Conley. – Com informações detalhadas sobre como nós também podemos...

– Talvez – interrompeu Al – nos vejamos em contato com Glen Runciter. – Todos à mesa, inclusive Walter W. Wayles, olharam fixamente para ele. – Estou falando sério. Toma. – Ele entregou a cartela a Tippy Jackson. – Escreva uma mensagem instantânea para eles.

– Dizendo o quê? – perguntou Tippy Jackson.

– Só preencha o cupom. – E disse a Edie Dorn: – Tem absoluta certeza de que estava com estes fósforos na bolsa desde o fim da semana passada? Ou pode ter pego isto em algum lugar hoje?

Edie Dorn respondeu:

– Coloquei diversas cartelas de fósforos na minha bolsa na quarta-feira. Como lhe disse, hoje de manhã, vindo para cá, aconteceu de notar esta, enquanto acendia um cigarro. Definitivamente, estava em minha bolsa antes de irmos para Luna. Desde alguns dias antes.

– Com este anúncio nela? – perguntou Jon Ild.

– Nunca prestei atenção no que estava escrito na cartela antes. Só notei hoje. Não posso dizer nada sobre ela antes. Quem pode?

– Ninguém pode – disse Don Denny. – O que você acha, Al? Runciter quis pregar uma peça? Ele mandou imprimir os anúncios antes de morrer? Ou Hollis, talvez. Como uma espécie de piada grotesca... sabendo que ia matar Runciter? Sabendo que, quando notássemos o anúncio, Runciter estaria em bolsa térmica, em Zurique, como diz o texto?

Tito Apostos disse:

– Como é que Hollis saberia que íamos levar Runciter a Zurique? E não para Nova York?

– Porque Ella está lá – respondeu Don Denny.

Diante do aparelho de TV, Sammy Mundo examinava silenciosamente a moeda de cinquenta centavos que Al havia lhe dado. Franziu a testa pálida e subdesenvolvida em rugas de perplexidade.

– Qual o problema, Sam? – disse Al. No íntimo, sentiu a tensão crescer. Previu mais um acontecimento.

– Não é a cara de Walt Disney que deveria estar na moeda de cinquenta centavos? – disse Sammy.

– Ou a de Disney – disse Al –, ou, se for mais antiga, a de Fidel Castro. Vamos ver.

– Mais uma moeda obsoleta – disse Pat Conley, enquanto Sammy levava os cinquenta centavos até Al.

– Não – disse Al, examinando a moeda. – É do ano passado. Está perfeita em termos de data. Perfeitamente aceitável. Qualquer máquina no mundo a aceitaria. A TV a aceitaria.

– Então, qual é o problema? – Edie Dorn perguntou timidamente.

– Exatamente o que Sammy disse – respondeu Al. – Está com o rosto errado. – Ele se levantou, levou a moeda até Edie e a depositou em sua mão úmida aberta. – Quem você acha que parece?

Após uma pausa, Edie disse:

– Eu... não sei.

– Claro que sabe – disse Al.

– OK – Edie disse categoricamente, incitada a responder contra a vontade. Ela empurrou a moeda de volta para ele, com um arrepio de repulsa.

– É *Runciter* – Al declarou a todos que estavam sentados em torno da grande mesa.

Após uma pausa, Tippy Jackson disse:

– Acrescente esta à sua lista. – Sua voz mal era audível.

– Vejo dois processos em andamento – Pat disse de imediato, enquanto Al voltava a se sentar e começava a fazer o adendo em sua folha de papel. – Um, o processo de deterioração, que parece óbvio. Concordamos nisso.

Erguendo a cabeça, Al perguntou:

– Qual é o outro?

– Não tenho muita certeza – Pat hesitou. – Algo a ver com Runciter. Acho que deveríamos ver todas as nossas outras moedas. E cédulas também. Deixe-me pensar um pouco mais.

Uma por uma, as pessoas à mesa retiraram suas carteiras, bolsas, vasculharam os bolsos.

– Tenho uma nota de cinco pós-creds – disse Jon Ild, – com um belo retrato gravado a aço do senhor Runciter. As outras... – Ele olhou demoradamente para o que estava em sua mão. – São normais. Estão OK. Quer ver a nota de cinco pós-creds, senhor Hammond?

– Tenho duas. Já – disse Al. – Mais alguém? – Ele olhou ao redor da mesa. Seis mãos levantadas. – Oito de nós têm agora o que acho que deveríamos chamar de dinheiro de Runciter, de certa forma. Provavelmente, até o fim do dia, todo o dinheiro será dinheiro de Runciter. Ou, quem sabe, em dois dias. De todo modo, o dinheiro de Runciter vai funcionar. Vai fazer máquinas e aparelhos ligarem, e poderemos pagar nossas dívidas com ele.

– Talvez não – disse Don Denny. – Por que pensa assim? Isso, o que chama de dinheiro de Runciter... – ele deu um tapinha na nota que segurava. – Existe alguma razão para que os bancos devam avalizá-lo? Não é uma emissão legítima. O governo não pôs em circulação. É dinheiro de brinquedo, não é real.

– OK – disse Al, com moderação. – Talvez não seja real, talvez os bancos o recusem. Mas essa não é a verdadeira questão.

– A verdadeira questão – disse Pat Conley – é em que consiste esse segundo processo, essas manifestações de Runciter?

– É isso o que são. – Don Denny assentiu com a cabeça. – Manifestações de Runciter... esse é o segundo processo, junto com a decomposição. Algumas moedas ficam obsoletas, outras aparecem com o retrato ou o busto de Runciter. Sabem o que acho? Acho que esses processos vão em direções opostas. Um é um afastamento, por assim dizer. Um deixar de existir. Esse é o processo um. O segundo processo é um vir a existir. Mas de algo que nunca existiu antes.

– Realização de desejos – disse Edie Dorn, com a voz fraca.

– Como assim? – disse Al.

– Talvez estas sejam coisas que Runciter desejava – disse Edie. – Ter seu retrato em moeda corrente, em todo o nosso dinheiro, inclusive moedas de metal, é grandioso.

Tito Apostos disse:

– Mas *cartelas de fósforo*?

– Acho que não – concordou Edie. – Isso não é muito grandioso.

– A firma já usa anúncios em cartelas de fósforos – disse Don Denny. – E na TV e jornais e revistas. E por carta. Nosso departamento de RP cuida disso. Geralmente, Runciter não dava a mínima para esse lado dos negócios, e certamente não dava a mínima para cartelas de fósforos. Se isso fosse alguma espécie de materialização da sua psique, era de esperar que o rosto dele aparecesse na TV, não em dinheiro ou cartela de fósforo.

– Talvez ele *esteja* na TV – disse Al.

– Isso mesmo – disse Pat Conley. – Não conferimos isso. Nenhum de nós teve tempo para ver TV.

– Sammy – disse Al, devolvendo-lhe os cinquenta centavos –, vá ligar a TV.

– Não sei se quero ver – disse Edie, enquanto Sammy Mundo inseria a moeda na TV e se afastava para o lado, mexendo os botões de sintonização.

A porta da sala se abriu. Joe Chip estava lá, e Al viu seu rosto.

– Desligue a TV – Al disse, e se levantou. Todos na sala olharam enquanto ia na direção de Joe. – O que aconteceu, Joe? – Ele esperou. Joe não disse nada. – Qual o problema?

– Fretei uma nave para me trazer de volta – Joe explicou, rouco.

– Você e Wendy?

Joe disse:

– Faça um cheque para a nave. Ela está no terraço. Não tenho dinheiro suficiente para pagar.

Para Walter W. Wayles, Al disse:

– Está em condições de desembolsar fundos?

– Para algo assim, posso. Vou acertar com a nave. – Levando sua pasta consigo, Wayles saiu da sala. Joe permaneceu à porta, novamente em silêncio. Parecia cem anos mais velho do que na última vez que Al o tinha visto.

– No meu escritório. – Joe virou-se de costas para a mesa. Pestanejou, hesitou. – Eu... acho que você não deveria ver. O homem do moratório estava comigo quando a encontrei. Ele disse que não poderia fazer nada. Tinha passado muito tempo. Anos.

– "Anos"? – Al disse, desanimado.

Joe disse:

– Vamos até o meu escritório. – Ele conduziu Al para fora da sala de reuniões, pelo corredor e até o elevador. – Na viagem para cá, a nave me deu tranquilizantes. Isso faz parte da conta. Na verdade, me sinto muito melhor. Em certo sentido, não sinto nada. Devem ser os tranquilizantes. Acho que, quando o efeito passar, voltarei a sentir.

O elevador chegou. Juntos, eles desceram sem dizer nada até chegarem ao terceiro andar, onde ficava o escritório de Joe.

– Eu o aconselho a não olhar. – Joe destrancou o escritório, conduziu Al para dentro. – Você é quem sabe. Se *eu* superei, *você* provavelmente vai superar. – Ele acendeu a iluminação geral.

Após uma pausa, Al disse:

– Deus do céu.

– Não abra – disse Joe.

– Não vou abrir. Hoje de manhã ou ontem à noite?

– Evidentemente, aconteceu antes, antes mesmo que ela chegasse ao meu quarto. Nós... o dono do moratório e eu... encontramos pedaços de pano no corredor que iam até a minha porta. Mas ela devia estar bem, ou quase bem, quando atravessou o saguão. De qualquer forma, ninguém notou nada. E, num hotel grande como aquele, sempre há alguém para vigiar. E o fato de que ela conseguiu chegar ao meu quarto...

– É, isso indica que ela devia estar pelo menos conseguindo andar. Isso parece provável, de qualquer modo.

Joe disse:

– Estou pensando no restante de nós.

– De que modo?

– A mesma coisa. Acontecendo com a gente.

– Como poderia?

– Como pôde acontecer com ela? Por causa da explosão. Vamos morrer desse jeito, um após o outro. Um por um. Até não restar nenhum de nós. Até que cada um de nós se resuma a cinco quilos de pele e cabelo num saco plástico, com alguns ossos ressecados no meio.

– Está bem – disse Al. – Há alguma força em ação, produzindo deterioração rápida. Está em ação desde... ou começou com... a explosão lá em Luna. Já sabíamos disso. Também sabemos, ou achamos que sabemos, que outra força, uma força contrária, está em ação, mudando as coisas numa direção oposta. Algo relacionado a Runciter. Nosso dinheiro está começando a ficar com o rosto dele estampado. Uma cartela de fósforos...

– Ele estava no meu vidfone – disse Joe. – No hotel.

– *No* vidfone? Como?

– Não sei. Simplesmente estava. Não na tela, não na parte do vídeo. Apenas a voz.

– O que ele disse?

– Nada em especial.

Al o observou.

– Ele conseguia ouvir você? – perguntou finalmente.

– Não. Tentei falar com ele. Era inteiramente unilateral. Eu estava ouvindo, e só.

– Então foi por isso que não consegui falar com você.

– Foi por isso – Joe assentiu.

– Estávamos tentando ver alguma coisa na TV quando você apareceu. Deve ter notado que não há nada nos jornais sobre a morte dele. Que confusão. – Ele não gostava da aparência de Joe Chip. Velho, pequeno e cansado, refletiu. É assim que começa? *Temos que estabelecer contato com Runciter,* disse a si mesmo. Sermos capazes de ouvi-lo não é suficiente. É evidente que está tentando nos contatar, mas...

– Para sobrevivermos a isso, temos que conseguir acesso a ele.

Joe disse:

– Vê-lo na TV não nos fará nenhum bem. Será apenas como no fone, tudo de novo. A menos que consiga nos dizer como podemos nos comunicar com ele. Talvez *possa* nos dizer, talvez saiba. Talvez entenda o que aconteceu.

– Ele teria que entender o que aconteceu com ele mesmo. Que é algo que não sabemos. – Em certo sentido, pensou Al, deve estar vivo, ainda que o moratório não tenha conseguido ressuscitá-lo. É óbvio que o dono do moratório fez tudo o que podia com um cliente de tanta importância. – Von Vogelsang o ouviu ao vidfone?

– Tentou ouvir. Mas só obteve silêncio e depois estática, aparentemente de muito longe. Também ouvi. Nada. O som de absolutamente nada. Um som muito estranho.

– Não gosto disso – disse Al. Não sabia ao certo por quê. – Eu me sentiria melhor quanto a isso se von Vogelsang tivesse ouvido também. Pelo menos, desse modo, poderíamos ter certeza de que estava lá, que não era uma alucinação de sua parte... Ou, inclusive, da parte de todos nós. Como no caso da cartela de fósforos.

Mas alguns dos acontecimentos definitivamente não tinham sido alucinações. Máquinas haviam rejeitado moedas antiquadas – máquinas objetivas, equipadas para reagir apenas a propriedades físicas. Nenhum elemento psicológico entrava em jogo ali. As máquinas não eram capazes de imaginar.

– Vou sair deste prédio por um tempo – disse Al. – Pense numa cidade aleatória, que não tenha relação alguma com nenhum de nós, que nenhum de nós visite ou jamais tenha visitado.

– Baltimore – disse Joe.

– OK, vou para Baltimore. Verei se uma loja escolhida ao acaso aceitará o dinheiro de Runciter.

– Compra uns cigarros novos pra mim – disse Joe.

– OK, farei isso, também. Verei se os cigarros de uma loja qualquer de Baltimore foram afetados. Vou verificar outros produtos, também. Farei amostras aleatórias. Você quer vir comigo, ou quer subir e contar a eles o que aconteceu com Wendy?

– Vou com você.

– Talvez a gente não deva contar nunca o que aconteceu a ela.

– Acho que devemos – disse Joe. – Uma vez que vai acontecer novamente. Pode ser que aconteça antes de voltarmos. Pode estar acontecendo agora.

– Então, é melhor voltarmos da nossa viagem a Baltimore o mais rápido possível. – Al saiu do escritório. Joe Chip o seguiu.

Meu cabelo está tão seco, tão rebelde. O que uma garota pode fazer nessas horas? Apenas massageie o condicionador cremoso Ubik. Em apenas cinco dias, você descobrirá um novo volume em seus cabelos, um novo brilho. E o spray Ubik, usado conforme as instruções, é absolutamente seguro.

Eles escolheram o Supermercado Gente de Sorte, na periferia de Baltimore.

Diante do balcão, Al disse para o caixa automático e computadorizado:

– Me dá um maço de Pall Mall.

– Wings é mais barato – disse Joe.

Irritado, Al disse:

– Não se fabrica mais Wings. Há anos.

– Ainda se fabrica – disse Joe –, mas não fazem propaganda. É um cigarro honesto, sem nenhuma pretensão. – E disse ao verificador: – Mude de Pall Mall para Wings.

O maço de cigarros deslizou do tubo inclinado para o balcão.

– Noventa e cinco centavos – disse o caixa.

– Toma uma nota de dez pós-creds. – Al inseriu a nota no verificador, cujos circuitos zuniram na mesma hora, enquanto ele examinava a nota.

– Seu troco, senhor – o verificador disse. E depositou uma pilha arrumada de moedas e notas diante de Al. – Por favor, liberem a fila.

Então, o dinheiro de Runciter é aceitável, Al disse a si mesmo enquanto ele e Joe saíam do caminho do próximo cliente, uma senhora de idade, corpulenta, usando um casaco de pano cor de mirtilo e carregando uma sacola de compras de corda mexicana. Com cuidado, ele abriu o maço de cigarros.

Os cigarros desintegraram-se entre seus dedos.

– Isto provaria alguma coisa – disse Al –, se tivesse sido um maço de Pall Mall. Vou voltar para a fila. – Ele seguiu em frente para fazer isso, e percebeu que a senhora corpulenta, usando um casaco escuro, discutia violentamente com o caixa automático.

– Estava morta – ela afirmou, num tom estridente –, quando cheguei com ela em casa. Toma, pode ficar com isto. – Pôs o vaso no balcão. Ele continha, Al viu, uma planta sem vida, talvez uma azaleia. Em seu estado moribundo, revelava poucos traços característicos.

– Não posso lhe devolver seu dinheiro – respondeu o verificador. – A vida da planta que vendemos não tem nenhuma garantia. "Comprador, cuidado" é a nossa regra. Por favor, libere a fila.

– E o jornal *Saturday Evening Post* – disse a senhora – que peguei na sua banca tinha mais de um ano de idade. Qual é o problema de vocês? E a refeição marciana congelada com larvas...

– Próximo cliente – disse o caixa. Ele a ignorou.

Al saiu da fila. Ficou andando a esmo pelo local até encontrar os pacotes de maços de cigarro, de todas as marcas concebíveis, empilhados a uma altura de dois metros ou mais.

– Escolha um pacote – ele disse a Joe.

– Dominoes – disse Joe. – Custam o mesmo que Wings.

– Céus, não escolha uma marca obscura, escolha algo como Winstons ou Kools. – Ele mesmo puxou um pacote. – Está vazio.

– Sacudiu a embalagem. – Dá pra saber pelo peso. – Alguma coisa, no entanto, dentro do invólucro, balançava, algo leve e pequeno. Ele rasgou a embalagem e olhou lá dentro.

Um bilhete escrito à mão. Numa caligrafia que era familiar a ele e a Joe. Retirou o papel, e os dois leram juntos.

Essencial que eu entre em contato com vocês. Situação séria e certamente ficará mais ainda com o passar do tempo. Há diversas explicações possíveis, que discutirei com vocês. De todo modo, não desistam. Sinto muito por Wendy Wright. Fizemos tudo o que podíamos nesse caso.

Al disse:

– Então ele sabe de Wendy. Bem, talvez isso signifique que não vai acontecer de novo com o resto de nós.

– Um pacote aleatório de cigarros – disse Joe – numa loja aleatória de uma cidade escolhida de forma aleatória. E encontramos um bilhete dirigido a nós, escrito por Glen Runciter. O que os outros pacotes contêm? O mesmo bilhete? – Ele puxou um pacote de L&M, balançou e depois abriu.

Dez maços de cigarros e mais dez por baixo, absolutamente normais. Será mesmo? Al se perguntou. Retirou um dos maços.

– Dá para ver que estão normais – disse Joe. Ele puxou um pacote do meio das pilhas. – Este está cheio também. – Ele não o abriu. Em vez disso, foi pegar outro. E outro. Todos tinham maços de cigarro dentro.

E todos se desintegravam entre os dedos de Al.

– Como será que ele sabia que viríamos aqui – disse Al. – E como sabia que íamos tentar aquele pacote em particular. – Não fazia nenhum sentido. E, no entanto, ali também o par de forças opostas estava em ação. Deterioração versus Runciter, Al disse a si mesmo. Por todo o mundo. Quem sabe, por todo o universo. Talvez o sol se apague, Al conjeturou, e Glen Runciter coloque um sol substituto no lugar. Se puder.

Sim, ele pensou. Essa é a questão. Quanto Runciter é capaz de fazer?

Colocando de outra forma: até onde pode ir o processo de deterioração?

– Vamos tentar outra coisa – disse Al. Saiu andando pelo corredor, passando por latas, pacotes e caixas, chegando, por fim, ao departamento de eletrodomésticos da loja. Ali, num impulso, escolheu um gravador caro, feito na Alemanha. – Esse parece estar OK – disse a Joe, que o havia seguido. Pegou um segundo aparelho, ainda na embalagem. – Vamos comprar este e levar pra Nova York com a gente.

– Você não quer abrir? – disse Joe. – E testar antes de comprar?

– Acho que já sei o que vamos encontrar – disse Al. – E é algo que não podemos testar aqui. – Ele levou o gravador até o caixa.

Em Nova York, na Runciter e Associados, eles deixaram o gravador na oficina da firma.

Quinze minutos depois, o encarregado da oficina, tendo desmontado o mecanismo, fez o seu relatório.

– Todas as peças móveis da parte que faz a fita girar estão gastas. A roda de borracha tem trechos carecas. Tem pedaços de borracha por todo o interior. As travas de acelerar para a frente e para trás estão praticamente inutilizadas. Ele está todo precisando de limpeza e lubrificação. Foi bastante usado. Na verdade, diria que está precisando de uma revisão completa, incluindo correias novas.

Al disse:

– Vários anos de uso?

– É possível. Há quantos anos você o comprou?

– Comprei hoje – disse Al.

– Isso não é possível – disse o técnico da oficina. – Ou, se você comprou hoje, eles te venderam...

– Sei o que me venderam – disse Al. – Sabia quando comprei, antes de abrir a embalagem. – Para Joe, disse: – Um gravador novíssimo, completamente gasto. Comprado com dinheiro falso que a loja está disposta a aceitar. Dinheiro sem valor, artigo sem valor. Tem uma certa lógica nisso.

– Hoje não é meu dia – disse o técnico. – De manhã, quando acordei, meu papagaio estava morto.

– Morreu de quê? – perguntou Joe.

– Não sei, simplesmente estava morto. Duro feito uma pedra. – O encarregado da oficina balançou o dedo esquelético para Al. – Vou dizer uma coisa que você não sabe sobre o seu gravador. Ele não está apenas gasto. Está ultrapassado quarenta anos. Não se usa mais roda de borracha, nem correia de transporte. Você nunca vai conseguir as peças pra ele, a menos que alguém as faça à mão. E não valeria a pena. É uma porcaria obsoleta. Joga fora. Esquece isso.

– Você está certo – disse Al. – Eu não sabia. – Ele saiu da oficina com Joe, foi até o corredor. – Agora estamos falando de algo diferente de deterioração. Esta é uma questão diferente. E vamos ter problemas para encontrar comida que não esteja estragada, em qualquer lugar, de qualquer tipo. Quanto da comida vendida em supermercados estaria boa, depois de tantos anos?

– Os enlatados – disse Joe. – E vi muitos produtos enlatados no supermercado de Baltimore.

– E agora sabemos por quê – disse Al. – Quarenta anos atrás, os supermercados vendiam uma proporção muito maior de suas mercadorias em latas, e não congeladas. Esta pode acabar sendo a nossa única fonte. Você está certo. – Ele refletiu. – Mas, em um dia, a coisa pulou de dois anos para quarenta. Amanhã, a esta hora, poderão ser cem anos. E nenhum alimento é comestível cem anos depois de embalado, em lata ou de outra forma.

– Ovos chineses – disse Joe. – Ovos de mil anos que eles enterram no solo.

– E não somos apenas nós – disse Al. – Aquela velha em Baltimore. O que ela comprou também foi afetado: a azaleia dela. – O mundo todo vai morrer de fome por causa da explosão de uma bomba em Luna? – perguntou-se. *Por que estão todos envolvidos, e não nós apenas?*

Joe disse:

– Aí vem...

– Fique em silêncio um segundo – disse Al. – Tenho que pensar numa coisa. Talvez Baltimore só esteja ali quando um de nós vai lá. E o Supermercado Gente de Sorte, assim que saímos, deixou de existir. Ainda pode ser que apenas nós, que estivemos em Luna, estejamos realmente vivenciando isso.

– Um problema filosófico sem nenhuma importância ou significado – disse Joe. – E incapaz de ser provado de um jeito ou de outro.

Al disse, com acidez:

– Seria importante para aquela senhora com o casaco de pano cor de mirtilo. E para todas as outras pessoas.

– Olha o encarregado da oficina – disse Joe.

– Estava lendo agora mesmo o manual de instruções – disse o técnico – que veio com o seu gravador. – Ele estendeu o manual para Al, uma expressão complicada no rosto. – Dá uma olhada. – Na mesma hora, ele o pegou de volta. – Vou te poupar o trabalho de ler. Olha aqui na última página, onde dizem quem fez a droga do negócio e para onde enviar para consertos de fábrica.

– "Produzido por Runciter de Zurique" – Al leu em voz alta. – E uma assistência técnica aqui na Confederação Norte-Americana... em Des Moines. Igual aparece na embalagem de fósforos. – Ele passou o manual para Joe e disse: – Nós vamos para Des Moines. Este manual é a primeira manifestação que liga os dois locais. – Por que Des Moines, perguntou-se. – Você consegue se lembrar – disse a Joe – de alguma conexão que Runciter tenha tido durante a vida com Des Moines?

– Ele nasceu lá. Ficou lá até os quinze anos. Costumava mencionar Des Moines de vez em quando.

– Então, agora, após a morte, ele voltou para lá. De alguma maneira. – Runciter está em Zurique, pensou Al, e também em Des Moines. Em Zurique, tem metabolismo cerebral mensurável. Seu corpo físico, em meia-vida, está suspenso em bolsa térmica no Moratório Entes Queridos e, no entanto, não se pode entrar em contato com ele. Em Des Moines, não tem existência física nenhuma e, ainda assim, é evidente, lá o contato pode ser estabelecido. Na verdade, por meio de extensões como este manual de instruções, *foi* estabelecido, pelo menos em uma direção, o contato dele para nós. Enquanto isso, pensou, nosso mundo se deteriora, volta-se para dentro de si, trazendo à superfície fases passadas da realidade. Até o final da semana, podemos acordar e encontrar bondes descendo a Quinta Avenida, tilintando. Trolley Dodgers, pensou, e se perguntou o que significava. Uma expressão verbal em desuso, renascida do passado. Uma emanação distante e obscura em sua mente, anulando a realidade atual. Até mesmo essa percepção distante, ainda apenas subjetiva, o deixava apreensivo. Já havia se tornado real demais, uma entidade da qual jamais tomara conhecimento antes daquele momento. – Trolley Dodgers – disse ele, em voz alta. Cem anos atrás, pelo menos. De forma obsessiva, o termo permaneceu alojado na consciência. Ele não conseguia esquecê-lo.

– Como é que você sabe isso? – perguntou o técnico. – Ninguém mais conhece isso. É o nome antigo dos Brooklyn Dodgers*. – Encarou Al com desconfiança.

Joe disse:

– É melhor subirmos e verificar se estão todos bem. Antes de partirmos para Des Moines.

---

* Termo pejorativo usado por moradores de Manhattan para se referir a residentes do Brooklyn, devido à preponderância de linhas de bonde no bairro novaiorquino. Também está na base do nome do time de beisebol Los Angeles Dodgers e do time de futebol americano Brooklyn Dodgers. [N. do T.]

– Se não chegarmos logo a Des Moines – disse Al –, a viagem pode acabar durando um dia inteiro, ou até dois dias. – À medida que os métodos de transporte regredirem, pensou. Da propulsão por foguete ao jato; do jato às aeronaves movidas a pistão; depois viagem por superfície, como trem a vapor abastecido com carvão, carroça puxada a cavalo. Mas a regressão não poderia ir tão longe, disse a si mesmo. E, no entanto, já temos em mãos um gravador de quarenta anos, acionado por roda de borracha e correias. Talvez possa ser mesmo o caso.

Ele e Joe andaram rapidamente até o elevador. Joe apertou o botão, e esperaram, os dois nervosos, sem dizer nada, ambos recolhidos em seus próprios pensamentos.

O elevador chegou, ruidoso. O barulho despertou Al do estado de introspecção. Num reflexo, empurrou para o lado as grades da porta de segurança.

E viu-se diante de uma cabine aberta com armações de metal polido, suspensa por um cabo. Um ascensorista uniformizado, de olhar abatido, estava sentado num banquinho, manejando uma manivela. Ele os encarou com indiferença. Não foi indiferença, entretanto, o que Al sentiu.

– Não entre – ele disse a Joe, segurando-o. – Olhe e pense. Tente se lembrar do elevador que usamos hoje mesmo, mecanismo hidráulico, fechado, automático, absolutamente silencioso...

Parou de falar... Porque a geringonça ruidosa e ultrapassada havia se ofuscado e, no seu lugar, o elevador conhecido retomou sua existência. Ainda assim, ele sentia a presença do outro elevador, mais velho. Espreitava na sua visão periférica como se estivesse pronto para vazar assim que ele e Joe desviassem a atenção. Ele quer voltar, Al percebeu. Pretende voltar. Podemos atrasá-lo temporariamente: algumas horas, provavelmente, no máximo. A intensidade da força retrógrada está aumentando. Formas arcaicas estão avançando rumo à dominação mais rápido do que pensamos. Agora, é coisa de cem anos num só movimento. O elevador que acabamos de ver devia ter um século de idade.

E ainda assim, pensou, parecemos capazes de exercer algum controle sobre ele. É fato que forçamos o verdadeiro elevador contemporâneo a voltar a existir. Se todos ficarmos juntos, se funcionarmos como uma entidade de, não duas, mas doze mentes...

– O que você viu? – Joe estava perguntando. – O que fez com que gritasse para eu não entrar no elevador?

– Você não viu o elevador velho? Cabine aberta, metal, de cerca de 1910? Com o ascensorista sentado no banquinho?

– Não – disse Joe.

– Você viu *alguma coisa*?

– Isso – Joe gesticulou. – O elevador normal que vejo todos os dias quando venho trabalhar. Vi o que sempre vejo, o que estou vendo agora. – Entrou no elevador, virou-se e ficou de frente para Al.

Então, nossas percepções estão começando a divergir, Al percebeu. E se perguntou o que aquilo significava.

Parecia um mau presságio. Ele não estava gostando nem um pouco. De modo pavoroso, aquela lhe parecia, potencialmente, a mudança mais letal desde a morte de Runciter. Não estavam mais regredindo à mesma velocidade, e ele tinha uma sensação intuitiva e penetrante de que Wendy Wright havia vivenciado exatamente aquilo, antes de sua morte.

Perguntou-se quanto tempo ele próprio ainda teria.

Naquele momento, tomou consciência de um resfriamento insidioso e gradual que, em algum momento já esquecido do passado, havia começado a explorá-lo, investigando-o e ao mundo ao seu redor. Isso o lembrou dos minutos finais em Luna. O frio degradava a superfície dos objetos. Ele deformava, expandia, se mostrava em inchaços bulbosos que suspiravam, audíveis, e estouravam. Nas múltiplas feridas abertas o frio vagava, indo até o coração das coisas, ao núcleo que as tornava vivas. O que Al via, agora, parecia um deserto de gelo do qual se projetavam penedos rígidos. Um vento vomitava-se pela planície que a realidade havia se tornado. O vento solidificava-se, formando um gelo mais profundo, e os penedos salientes desapareciam, em sua maior parte.

E a escuridão apresentava-se nos cantos de sua visão. Ele a notava apenas de relance.

Porém, pensou, isso é uma projeção da minha parte. Não é o universo que está sendo sepultado por camadas de vento, frio, escuridão e gelo. Tudo isso está acontecendo dentro de mim e, no entanto, eu pareço estar vendo do lado de fora. Estranho, pensou. O mundo inteiro está dentro de mim? Tragado pelo meu corpo? Quando isso aconteceu? Deve ser uma manifestação da morte, disse a si mesmo. A incerteza que sinto, a desaceleração até a entropia, este é o processo, e o gelo que vejo é o resultado do êxito desse processo. Quando eu apagar, pensou, o universo todo desaparecerá. Mas e quanto às diversas luzes que deveria ver, as entradas para novos úteros? Onde, exatamente, está a luz vermelha e enfumaçada de casais copulando? E a luz opaca e tênue que representa a voracidade animal? Tudo o que consigo distinguir, pensou, é escuridão invasiva e perda de calor absoluta, uma planície que esfria, abandonada por seu sol.

Isto não pode ser a morte normal, ele disse a si mesmo. Isto não é natural. O impulso habitual de dissolução foi substituído por outro fator que lhe foi imposto, uma pressão forçada e arbitrária.

Talvez possa entender, pensou, se conseguir simplesmente me deitar e descansar, se conseguir energia suficiente para pensar.

– Qual o problema? – perguntou Joe, enquanto, juntos, subiam no elevador.

– Nada – Al disse, de modo brusco. Eles podem sobreviver, pensou, mas eu não.

Ele e Joe continuaram a subir no silêncio vazio.

Ao entrar na sala de reuniões, Joe notou que Al não estava mais com ele. Virou-se para olhar para o corredor e avistou Al sozinho, sem conseguir dar um passo.

– Qual o problema? – Joe perguntou novamente. Al não se moveu. – Você está bem? – Joe voltou, andando na direção dele.

– Me sinto cansado – disse Al.

– Você não parece bem – Joe sentiu-se profundamente apreensivo.

Al disse:

– Vou ao banheiro. Vá na frente e se junte aos outros. Verifique se estão bem. Eu volto bem rápido. – Ele se afastou com movimentos vagos. Parecia, agora, confuso. – Vou ficar bem. – Seguiu pelo corredor, hesitante, como se tivesse dificuldade para enxergar por onde ia.

– Vou com você. Para me certificar de que vai chegar lá.

– Talvez se eu jogar água morna no rosto – disse Al. Ele encontrou a porta gratuita do banheiro e, com a ajuda de Joe, a abriu e desapareceu lá dentro. Joe permaneceu no corredor. Ele está com algum problema, disse a si mesmo. Ver o elevador antigo causou uma mudança nele. Ele se perguntou por quê.

Al reapareceu.

– O que foi? – disse Joe, vendo a expressão em seu rosto.

– Dá uma olhada nisso. – Al levou Joe para dentro do banheiro e apontou para a parede em frente. – Pichação – disse. – Sabe? Palavras rabiscadas. Do tipo que você encontra o tempo todo nos banheiros públicos. Leia.

Em giz de cera, ou tinta de caneta esferográfica roxa, estava escrito:

PULE NO MICTÓRIO E FIQUE DE PONTA-CABEÇA.

SOU EU QUEM ESTÁ VIVO. TODOS VOCÊS ESTÃO MORTOS.

– Foi Runciter que escreveu? – Al perguntou. – Você reconhece?

– Sim – disse Joe, acenando com a cabeça. – É a letra de Runciter.

– Então, agora sabemos a verdade.

– Esta é a verdade?

Al disse:

– Claro. Obviamente.

– Que coisa, ficar sabendo dessa maneira. Pela parede de um banheiro masculino. – Ele sentiu uma indignação amarga, mais do que qualquer outra coisa.

– Pichação é assim. Rude e direta. Poderíamos ter assistido TV, ouvido o vidfone e lido os jornais da manhã por meses, pra sempre, talvez, e ficado sem descobrir. Sem que nos contassem, sem rodeios.

Joe disse:

– Mas não estamos mortos. Exceto Wendy.

– Estamos em meia-vida. Provavelmente ainda na *Pratfall II*. Provavelmente estamos no caminho de volta de Luna à Terra, após a explosão que nos matou, *nos* matou, não Runciter. E ele está tentando captar o nosso fluxo de protofásons. Até agora, não teve sucesso. Não estamos atravessando a passagem entre o nosso mundo e o dele. Mas ele conseguiu entrar em contato. Estamos encontrando-o por toda parte, até em lugares que escolhemos aleatoriamente. Sua presença está nos invadindo por todo lado, dele e somente dele, porque é a única pessoa que está tentando...

– Ele e somente ele – interrompeu Joe. – E não "dele", você disse "dele".

– Estou doente – disse Al. Ele deixou a água correr na pia, começou a molhar o rosto. Mas não era água quente, Joe viu. Na água, fragmentos de gelo estalavam e se estilhaçavam. – Volte para a sala de reuniões. Vou para lá quando me sentir melhor, supondo que venha a me sentir bem alguma hora.

– Acho que eu deveria ficar aqui com você.

– Não, droga... sai daqui! – O rosto cinzento e carregado de pânico, Al empurrou-o na direção da porta. Impeliu Joe com força até o corredor. – Anda, vai ver se estão bem! – Al retirou-se de volta para o banheiro, apertando os próprios olhos. Curvado, desapareceu da visão quando a porta se fechou.

Joe hesitou.

– OK. Estarei na sala de reuniões com eles. – Esperou, tentando escutar algo. Não ouviu nada. – Al? – Meu Deus, pensou. Isso é terrível. Ele realmente está com problemas. – Quero ver com meus próprios olhos – disse, empurrando a porta – que você está bem.

Com uma voz baixa e calma, Al disse:

– É tarde demais, Joe. Não olhe. – O banheiro havia ficado escuro. Era evidente que Al conseguira apagar a luz. – Você não pode fazer nada para me ajudar – Disse com uma voz fraca, mas firme. – Não devíamos ter nos separado dos outros. Foi por isso que aconteceu com Wendy. Você pode continuar vivo pelo menos por algum tempo se for encontrá-los *e ficar junto deles.* Diga isso a eles. Certifique-se de que todos entenderam. Você entendeu?

Joe estendeu a mão para o interruptor de luz.

Um sopro, tênue e leve, deu um tapa em sua mão no escuro. Aterrorizado, ele recolheu a mão, chocado com a impotência do soco de Al. Aquilo dizia tudo. Ele não precisava mais ver.

– Vou me juntar aos outros – disse ele. – Sim, entendi. A sensação é muito ruim?

Silêncio, e depois uma voz lânguida sussurrou:

– Não, a sensação não é muito ruim. Eu só... – A voz desapareceu. Mais uma vez, apenas silêncio.

– Talvez eu o veja novamente algum dia – disse Joe. Sabia que era a coisa errada de se dizer. Ouvir-se proferir tal nulidade o horrorizou. Mas era o melhor que podia fazer. – Deixa eu formular de outra maneira – ele disse, mas sabia que Al não podia mais ouvi-lo. – Espero que se sinta melhor. Vou checar de novo, depois de contar a eles sobre os dizeres na parede aí dentro. Direi para não entrarem aqui para ver, porque isso poderia... – Ele tentou pensar em algo, para dizer direito. – Eles poderiam incomodar você – terminou.

Nenhuma resposta.

– Bem, até mais – Joe disse, e deixou a escuridão do banheiro. Seguiu, vacilante, pelo corredor, voltando à sala de reuniões. Parou por um instante, puxou uma respiração funda e irregular e depois empurrou a porta da sala.

O aparelho de TV instalado na parede, de frente para a porta, ressoava alto um comercial de sabão em pó. Na grande tela 3-D em cores, uma dona de casa examinava com ar crítico uma toalha de pele de lontra sintética e, com a voz aguda e penetrante, declarava que era inapropriada para ocupar um lugar em seu banheiro. A tela então mostrava seu banheiro – e exibia também uma pichação na parede. O mesmo garrancho familiar, desta vez com os dizeres:

APOIEM-SE NO VASO

PARA MERGULHAR EM SEGUIDA.

TODOS VOCÊS ESTÃO MORTOS. EU TENHO VIDA.

Apenas uma pessoa na grande sala de reuniões viu, no entanto. Joe estava sozinho numa sala vazia. Os outros – o grupo inteiro – não estavam mais lá.

Ele se perguntou onde estariam. E se viveria o suficiente para encontrá-los. Não parecia provável.

10

O odor da transpiração está te deixando isolado? O desodorante spray Ubik e o Ubik roll-on com duração de dez dias acabam com o receio de desagradar, trazendo-o de volta à cena. Seguro se usado conforme orientação, dentro de uma rotina conscienciosa de higiene corporal.

O apresentador da televisão disse:

– E agora de volta com Jim Hunter e as notícias.

Na tela, o rosto radiante e sem pelos do âncora apareceu.

– Glen Runciter voltou hoje à sua cidade natal, mas não foi o tipo de retorno de alegrar o coração de ninguém. Ontem, uma tragédia abalou a Runciter e Associados, provavelmente a mais conhecida dentre as muitas organizações de prudência da Terra. Numa explosão terrorista de uma instalação não divulgada na subsuperfície de Luna, Glen Runciter foi fatalmente ferido e morreu antes que seu corpo pudesse ser transferido para a bolsa térmica. Conduzido ao Moratório Entes Queridos em Zurique, todos os esforços foram feitos para levar Runciter à meia-vida, mas foram em vão. Com o reconhecimento da derrota, os esforços foram encerrados, e o corpo de Glen Runciter foi trazido de volta aqui para Des Moines, onde será embalsamado para funeral público na Casa Funerária Simples Pastor.

A tela mostrava um prédio branco de madeira, com muitas pessoas perambulando do lado de fora.

Quem teria autorizado a transferência para Des Moines, Joe Chip perguntou-se.

– Foi a decisão triste, porém inexorável, ditada pela esposa de Glen Runciter – a voz do locutor prosseguiu –, que conduziu a este capítulo final a que agora assistimos. A senhora Ella Runciter, em bolsa térmica, a quem se esperava que o marido pudesse se juntar, foi revivida para encarar esta calamidade. A senhora Runciter ficou sabendo hoje pela manhã do destino que alcançou o marido e comunicou a decisão de abandonar os esforços de despertar uma meia-vida tardia no homem a que ela esperava se unir, uma esperança frustrada pela realidade. – Uma fotografia de Ella, tirada durante a vida, apareceu brevemente na tela. – Em ritual solene – continuou o locutor –, funcionários de luto da Runciter e Associados reuniram-se na capela da Funerária Simples Pastor, preparando-se da melhor forma que podiam, dadas as circunstâncias, para prestar as últimas homenagens.

A tela passou a mostrar o campo de pouso no terraço da funerária. Uma nave estacionada na extremidade da superfície abriu a escotilha por onde saíram homens e mulheres. Um microfone, estendido por jornalistas, fez com que parassem.

– Diga, senhor – disse uma voz típica de repórter –, além de trabalhar para Glen Runciter, você e esses outros funcionários também o conheciam pessoalmente? Conheciam não como chefe, mas como ser humano?

Pestanejando como uma coruja ofuscada pela luz, Don Denny disse para o microfone estendido:

– Todos nós conhecíamos Glen Runciter como homem. Como um bom indivíduo e cidadão, em quem podíamos confiar. Sei que falo pelos outros quando digo isso.

– Todos os funcionários do senhor Runciter ou, devo dizer, ex-funcionários, estão aqui, senhor Denny?

– Muitos de nós estão aqui – disse Don Denny. – O senhor Len Niggelman, presidente da Sociedade de Prudência, entrou em contato conosco em Nova York e nos informou que soube da morte de Runciter. Ele nos informou de que o corpo do falecido estava sendo trazido aqui para Des Moines e disse que deveríamos vir, e nós concordamos, então ele nos trouxe em sua nave. – Denny apontou para a nave da qual ele e os outros tinham saído. – Ficamos gratos por ele ter notificado a mudança de local, do moratório em Zurique para a funerária daqui. Muitos de nós não estão aqui, no entanto, porque não estavam nos escritórios da firma em Nova York. Refiro-me, em particular, aos inerciais Al Hammond e Wendy Wright, e ao responsável pelos testes de campo da firma, o senhor Chip. O paradeiro dos três nos é desconhecido, mas, talvez, além de...

– Sim – disse o jornalista com o microfone. – Talvez eles vejam este programa, que está sendo transmitido via satélite para toda a Terra, e venham para Des Moines para esta trágica ocasião, como tenho certeza... e você sem dúvida tem também... de que o senhor e a senhora Runciter gostariam que fizessem. E, agora, de volta a Jim Hunter na central de notícias.

Jim Hunter, reaparecendo na tela, disse:

– Ray Hollis, cujo pessoal de talento psiônico é o objeto da anulação inercial e, portanto, o alvo das organizações de prudência, disse hoje, numa declaração transmitida por seu escritório, que lamentava a morte acidental de Glen Runciter e iria, se possível, comparecer ao funeral em Des Moines. Pode ser, no entanto, que Len Niggelman, representando a Sociedade de Prudência... conforme informamos antes... peça para que sua presença seja vetada, em vista da insinuação, por parte de alguns porta-vozes de organizações de prudência, de que Hollis reagiu inicialmente à notícia da morte de Runciter com um maldisfarçado alívio. – O locutor Jim Hunter fez uma pausa, pegou uma folha de papel e disse: – Passando agora para outra notícia...

Com o pé, Joe Chip bateu no pedal que controlava o aparelho de TV. A imagem da tela desapareceu e o som diminuiu até silenciar.

Isso não se encaixa com a pichação nas paredes do banheiro, refletiu. Talvez Runciter esteja morto, afinal. O pessoal da TV acha que sim. Ray Hollis acha que sim. Bem como Len Niggelman. Todos o consideram morto, e tudo o que temos que afirme o contrário são as duas parelhas de versos, que poderiam ter sido rabiscadas por qualquer pessoa... apesar do que Al pensava.

A tela da TV tornou a acender. Para sua grande surpresa, ele não havia pisado no pedal. E, além disso, ela mudava de canal: imagens alternavam-se rapidamente, de uma coisa para outra, até que, por fim, a intervenção misteriosa se deu por satisfeita. A imagem final permaneceu.

O rosto de Glen Runciter.

– Cansado de papilas gustativas preguiçosas? – Runciter disse com a voz áspera de costume. – O repolho cozido está dominando o seu universo alimentar? Aquele mesmo odor passado, velho e sem graça das manhãs de segunda-feira, não importa quantas moedas você coloque no fogão? Ubik vai mudar tudo isso. Ubik desperta o sabor da comida, põe o gosto genuíno de volta no lugar e restaura o agradável cheiro da comida. – Na tela, uma lata de spray de cores vivas entrou no lugar de Runciter. – Uma leve borrifada do econômico Ubik expele os temores obsessivo-compulsivos de que o mundo inteiro está virando leite coalhado, gravadores estragados e elevadores de grades de ferro obsoletos, além de outras manifestações, e até agora despercebidas, de deterioração. Vejam, a deterioração mundial de tipo regressivo, como esta, é uma experiência normal de muitos meias-vidas, especialmente nos primeiros estágios, quando os laços com a realidade real ainda estão muito fortes. Uma espécie de universo remanescente é retida como uma carga residual, sentida como um pseudoambiente, mas altamente instável e desacompanhada de qualquer subestrutura ergoica. Isso é especialmente verdadeiro quando vários sistemas de memória estão fundidos, como no caso de vocês. Mas hoje, com o novo Ubik mais poderoso que nunca, tudo isso mudou!

Pasmo, Joe sentou-se, olhos fixos na tela. A animação de uma fada sibilou, graciosa, em espirais, esguichando Ubik aqui e ali.

Uma dona de casa de olhar duro, dentes grandes e queixo de cavalo substituiu a animação da fada. Com a voz aguda, ela falava alto:

– Cheguei a Ubik depois de tentar suportes de realidade fracos e ultrapassados. Minhas panelas e frigideiras estavam se transformando em pilhas de ferrugem. O piso do meu condapto estava cedendo. Meu marido, Charley, atravessou a porta do quarto com o pé. Mas, agora, uso o novo e poderoso Ubik, moderno e econômico, e obtive resultados milagrosos. Veja esta geladeira. – Na tela, apareceu um refrigerador antigo, de torreta, da GE. – Nossa, ela involuiu oitenta anos.

– Sessenta e dois anos – Joe corrigiu, por reflexo.

– Mas agora, olhe para ela – a dona de casa continuou, esguichando sua lata de spray Ubik no refrigerador. Fagulhas de luz mágica acenderam-se num nimbo em torno da velha geladeira e, num flash, uma geladeira moderna de seis portas, com funcionamento pago, substituiu a outra, com esplêndida glória.

– Sim – a voz abatida de Runciter prosseguiu –, fazendo uso das técnicas mais avançadas da ciência atual, a regressão da matéria a formas anteriores *pode* ser revertida, e por um preço que qualquer dono de condapto pode pagar. Ubik é vendido nas melhores lojas de arte e decoração de toda a Terra. Não ingerir. Manter longe de chamas. Não desviar das descrições de procedimento, conforme expressas no rótulo. Então, procure isso, Joe. Não fique sentado aí. Saia para comprar uma lata de Ubik e aplique sobre você de cima a baixo, noite e dia.

Joe levantou-se e disse em voz alta:

– Você sabe que estou aqui. Isso significa que pode me ouvir e ver?

– É claro que não consigo ouvi-lo e vê-lo. Esta mensagem comercial está em videoteipe. Eu gravei duas semanas atrás, especificamente, doze dias antes da minha morte. Sabia que a explosão da bomba estava próxima. Lancei mão de talentos precog.

– Então, você realmente está morto.

– É claro que estou morto. Você não assistiu à transmissão de Des Moines agora mesmo? Sei que assistiu, porque meu precog viu isso também.

– E a pichação na parede do banheiro masculino?

No sistema de áudio do aparelho de TV, a voz de Runciter ecoou:

– Mais um fenômeno de deterioração. Vá comprar uma lata de Ubik. Vai impedir que aconteça com você. Todas essas coisas vão parar de acontecer.

– Al pensa que estamos mortos – disse Joe.

– Al está se deteriorando – Runciter deu risada, uma pulsação profunda e ressonante que fez a sala de reuniões vibrar. – Olha, Joe, eu gravei esta droga de comercial para auxiliá-lo, orientá-lo. A você, em particular, porque sempre fomos amigos. E sabia que você ia ficar muito confuso, que é exatamente como está neste exato momento, totalmente confuso. O que não é muito surpreendente, considerando seu estado habitual. De todo modo, tente aguentar firme. Talvez, quando chegar a Des Moines e vir o meu corpo em câmara ardente, vá se acalmar.

– O que é esse tal de Ubik?

– Mas acho que é tarde demais para ajudar Al.

Joe perguntou:

– De que é feito Ubik? Como funciona?

– Na verdade, Al provavelmente induziu os dizeres na parede do banheiro. Você não teria visto aquilo, não fosse por ele.

– Você realmente está em videoteipe, não? – disse Joe. – Não pode me ouvir, é verdade.

Runciter disse:

– Além disso, Al...

– Droga – Joe disse, com desgosto e cansaço. Não adiantava. Desistiu.

A dona de casa com maxilar de cavalo voltou à tela da TV, terminando o comercial. A voz mais suave agora, meio cantarolada, disse:

– Se a loja de arte e decoração que você frequenta ainda não tiver Ubik, volte para o seu condapto, senhor Chip, e verá que uma amostra grátis chegou pelo correio, uma amostra grátis de apresentação, senhor Chip, que será suficiente até que possa comprar uma lata do tamanho normal. – Ela então desapareceu. A tela da TV ficou opaca e silenciosa. O processo que a havia ativado desligou-a de volta.

Então, eu devo culpar Al, pensou Joe. A ideia não lhe agradava. Ele percebia a peculiaridade da lógica, sua tendência talvez deliberadamente enganosa. Al, o bode expiatório. Al feito de otário, tudo explicado com base em Al. De modo irracional, disse a si mesmo. E... Runciter tinha sido capaz de ouvi-lo? *Runciter teria apenas fingido estar em videoteipe?* Por algum tempo, durante o comercial, Runciter parecia responder a suas perguntas. Apenas no final suas palavras tinham se tornado despropositadas. Ele se sentiu, de uma hora para outra, como uma mariposa inútil, agitando-se diante da vidraça da realidade, vendo-a de modo indistinto pelo lado de fora.

Um pensamento novo lhe ocorreu, uma ideia sinistra. Digamos que Runciter tivesse feito a gravação do videoteipe com o pressuposto, baseado na informação imprecisa de um precog, de que a detonação da bomba o mataria e deixaria o resto do pessoal vivo. A gravação teria sido feita de modo honesto, porém equivocado. Runciter não havia morrido: *eles* morreram, como dizia a pichação na parede do banheiro, e Runciter ainda estava vivo. Antes da explosão da bomba, ele havia deixado instruções para que a fita do comercial fosse passada naquele horário, e a rede de TV havia feito isso, uma vez que Runciter não conseguiu dar ordem contrária à original. Isso explicaria a disparidade entre o que Runciter havia dito na gravação e o que escreveu nas paredes do banheiro. Na verdade, explicaria as duas coisas. O que, pelo que ele era capaz de compreender, nenhuma outra explicação faria.

A menos que Runciter estivesse fazendo um jogo sarcástico com eles, brincando com eles, primeiro levando-os numa direção, depois em outra. Uma força artificial e gigantesca, assombrando suas vidas. Emanando do mundo dos vivos ou do mundo da meia-vida. Ou, pensou de repente, talvez de ambos. Em todo caso, controlando suas experiências, ou pelo menos a maior parte delas. Talvez não a deterioração, concluiu. Isso, não. *Mas por que não?* Talvez, pensou, isso também. Mas Runciter não queria admitir. Runciter e Ubik. *Ubiquidade,* pensou, súbito. Essa é a derivação da palavra inventada, o nome do suposto produto em aerossol. Que provavelmente sequer existia. Era, provavelmente, outra peça que estavam pregando, para desnorteá-los muito mais ainda.

E, além disso, se Runciter estivesse vivo, não um, mas *dois* Runciter existiam: o genuíno do mundo real, que se esforçava para entrar em contato com eles, e o Runciter fantasmagórico, que havia se tornado um cadáver no mundo da meia-vida, o corpo velado em câmara ardente em Des Moines, em Iwoa. E, para levar a lógica disso à sua extensão máxima, outras pessoas aqui, como Ray Hollis e Len Niggelman, também eram fantasmagóricas – enquanto seus correspondentes autênticos permaneciam no mundo dos vivos.

Muito confuso, Joe disse a si mesmo. Ele não gostava nem um pouco daquilo. Admitia que o raciocínio tinha um aspecto simétrico, mas, por outro lado, parecia desordenado.

Vou correndo até o meu condapto, decidiu, pego a amostra grátis de Ubik, depois sigo para Des Moines. Afinal, foi o que o comercial insistiu para que eu fizesse. Estarei mais seguro com uma lata de Ubik comigo, como o anúncio indicou do seu modo musical e engenhoso.

É preciso dar atenção a conselhos desse tipo, ele se deu conta, quando se espera continuar vivo – ou meio vivo.

Qualquer um dos dois.

* * *

O táxi o deixou no campo do terraço do prédio condapto. Ele desceu pela rampa móvel e chegou à sua porta. Com uma moeda que alguém havia lhe dado – Al ou Pat, não conseguia se lembrar conscientemente – abriu a porta e entrou.

A sala cheirava vagamente à gordura queimada, um odor que ele não sentia desde a infância. Ao entrar na cozinha, descobriu a razão. Seu fogão havia regredido a um modelo Buck de gás natural com queimadores entupidos, e a porta do forno, coberta de crostas, que não fechava por completo. Ficou inerte, olhando para o fogão velho e muito gasto, e descobriu que os outros utensílios da cozinha haviam sofrido metamorfoses semelhantes. A máquina de homeojornal havia desaparecido completamente. A torradeira havia se desintegrado em algum momento do dia e se recomposto como um modelo manual, inferior e esquisito. Nem mesmo um mecanismo para fazer a torrada saltar descobriu ao cutucar o aparelho com desânimo. A geladeira que encontrou era de um modelo enorme, movido por correias, uma relíquia que passou a existir vinda de Deus sabe que passado distante. Era ainda mais obsoleta que o refrigerador em torre da GE mostrado no comercial. A cafeteira era a que tinha mudado menos. Na verdade, havia melhorado, sob um aspecto: não tinha entrada para moedas, funcionando, obviamente, de forma gratuita. Essa característica estava presente em todos os aparelhos, percebeu. Todos os que restaram, pelo menos. Assim como a máquina de homeojornal, a unidade de coleta de lixo havia desaparecido completamente. Tentou lembrar-se de que outros aparelhos possuíra antes, mas a memória já havia se tornado vaga. Desistiu e voltou para a sala.

A TV havia regredido muito. Ele se viu diante de um rádio AM Atwater-Kentum com sintonizador de frequência num gabinete de madeira escura dos velhos tempos, completo, com antena e fios terra. Deus do céu, disse a si mesmo, horrorizado.

Mas por que a televisão não havia retrocedido para metais e plásticos sem forma? Estes, afinal, eram seus componentes. Ela havia sido construída a partir deles, não de um rádio mais antigo.

Talvez isso comprovasse, de forma estranha, uma filosofia antiga descartada, a dos objetos ideais de Platão, os universais que, em cada classe, eram reais. A forma *televisor* havia sido um modelo imposto como sucessor de outros modelos, como a progressão de quadros numa sequência de filme. As formas anteriores, refletiu, têm de manter sua vida invisível, residual, em cada objeto. O passado está latente, submerso, mas ainda está lá, capaz de se elevar à superfície uma vez que a impressão posterior, infelizmente – e contra a experiência comum –, desapareça. O homem contém, não o menino, mas os homens anteriores, pensou. A história começou muito tempo atrás.

Os restos mortais desidratados de Wendy. A progressão de formas que ocorre normalmente – essa progressão parou. E a última forma se desgastou, sem nada na sequência: nenhuma forma mais nova, nenhum estágio seguinte do que entendemos como crescimento, para tomar o seu lugar. Isso deve ser o que vivenciamos como idade avançada. Dessa ausência vêm a deterioração e a senilidade. Só que, neste caso, aconteceu de forma abrupta, em questão de horas.

Mas essa teoria antiga... Platão não achava que alguma coisa sobrevivia ao declínio, algo interior, incapaz de se deteriorar? O antigo dualismo: o corpo separado da alma. O corpo se acabando assim como Wendy, e a alma, um pássaro fora do ninho, que voou para outro lugar. Talvez sim, pensou. Para renascer novamente, como diz *O Livro Tibetano dos Mortos*. É verdade mesmo. Meu Deus, espero que sim. Porque, nesse caso, todos poderemos nos reencontrar. Como na história do *Ursinho Puff*, em outra parte da floresta, onde um menino e seu urso sempre estarão a brincar... uma categoria, pensou, inextinguível. Como todos nós. Vamos todos terminar como Puff, num lugar mais claro e mais durável.

Por curiosidade, ligou o rádio pré-histórico, o mostrador de celuloide amarelo brilhou, o aparelho emitiu um zumbido alto de sessenta ciclos e depois, entre estática e sons estridentes, uma estação entrou.

– Hora da Família de Pepper Young – disse o locutor, com um murmúrio de música de órgão. – Num patrocínio de Camay suave, o sabonete da bela mulher. Ontem, Pepper descobriu que o trabalho de meses havia tido um final inesperado, devido ao... – Joe desligou o rádio nesse instante. Uma radionovela pré-Segunda Guerra, disse a si mesmo, admirado. Bem, seguia a lógica das reversões da forma ao estado primitivo que ocorre neste mundo, o meio-mundo moribundo – ou o que quer que fosse.

Olhando pela sala, descobriu uma mesa de centro com tampo de vidro e pernas barrocas sobre a qual se encontrava uma cópia da revista *Liberty*. Também anterior à Segunda Guerra, a revista apresentava uma série intitulada "Relâmpagos na Noite", uma fantasia futurista supondo uma guerra atômica. Ele virou as páginas, entorpecido, depois analisou a sala como um todo, buscando identificar outras mudanças.

O chão duro de cor neutra tinha se transformado em tábuas largas de madeira macia. No centro da sala, um tapete turco desbotado, impregnado de anos de poeira.

Um único quadro permanecia na parede, uma gravura monocromática com moldura e proteção de vidro mostrando um índio agonizante sobre o dorso de um cavalo. Ele nunca tinha visto o quadro. Não despertava nenhuma lembrança. E não sentia nenhum interesse por ele.

O vidfone tinha sido substituído por um telefone de gancho, preto e vertical. Pré-discagem. Ele retirou o fone do gancho e ouviu uma voz feminina dizer: – Número, por favor. – Com isso, desligou.

Era evidente que o sistema de aquecimento controlado por termostato tinha ido embora. Num dos cantos da sala, notou um aquecedor a gás completo, com um grande cano de chaminé de latão que subia pela parede, chegando quase ao teto.

Ao entrar no banheiro, olhou dentro do armário e montou um traje: sapatos Oxford pretos, meias de lã, calça curta de alfaiataria, camisa azul de algodão, casaco esportivo de pelo de camelo e boné de golfe. Para um traje mais formal, estendeu sobre a cama um terno listrado de azul e preto, paletó trespassado, suspensórios, gravata florida larga e camisa branca com gola de celuloide. Nossa, disse a si mesmo com espanto ao encontrar, dentro do armário, um saco de golfe com diversos tacos. Que relíquia.

Mais uma vez retornou à sala. Desta vez, voltou a atenção para o local em que seus componentes de áudio polifônico tinham estado montados anteriormente. O sintonizador multiplex FM, o braço de rastreamento leve e giratório de alta histerese – alto-falantes, megafone, amplificador multifuncional, tudo havia desaparecido. Em seu lugar, uma estrutura alta de madeira marrom se manifestava. Distinguiu o cabo da manivela e não precisou erguer a tampa para saber em que consistia agora o seu aparelho de som. Agulhas de bambu, um pacote delas na estante ao lado da Victrola. E um disco Victor de dez polegadas, rótulo preto, da orquestra de Ray Noble tocando *Turkish Delight*. Lá se foram suas coleções de fitas e de LPs.

E no dia seguinte, ele provavelmente se veria equipado com um toca-discos cilíndrico, movido a corda. E para tocar nele, uma declamação gritada do *Pai Nosso*.

Um jornal com aparência de novo, na ponta mais distante do sofá estofado, atraiu sua atenção. Ele o pegou e leu a data: terça-feira, 12 de setembro de 1939. Examinou as manchetes.

FRANCESES ALEGAM TER ROMPIDO A LINHA DE SIEGFRIED

RELATAM VITÓRIAS NA ÁREA PRÓXIMA A SAARBRUCKEN

UMA BATALHA DECISIVA ESTÁ PARA SER TRAVADA

AO LONGO DO FRONT OCIDENTAL

Interessante, disse a si mesmo. A Segunda Guerra tinha acabado de começar. E os franceses achavam que estavam vencendo. Leu mais uma manchete.

COMUNICADO DO GOVERNO POLONÊS AFIRMA QUE
O AVANÇO DAS FORÇAS ALEMÃS FOI INTERROMPIDO
DIZ QUE INVASORES REFORÇARAM SEUS EXÉRCITOS,
MAS SEM NOVAS VITÓRIAS

O jornal havia custado três centavos. Isso também o interessou. O que se podia comprar hoje com três centavos? perguntou-se. Jogou o jornal de volta e admirou-se mais uma vez com a sua aparência intacta. Jornal de um ou dois dias atrás, imaginou. Não mais que isso. Então, agora tenho um tempo determinado. Sei com precisão até onde foi a regressão.

Andando a esmo pelo apartamento, explorando as diversas mudanças, ele se viu diante de uma cômoda de gavetas no quarto. Sobre ela, diversas fotografias com molduras e proteção de vidro.

Todas de Runciter. *Mas não o Runciter que ele conhecia.* Eram de um bebê, um garoto pequeno e de um jovem. Runciter como havia sido um dia, mas ainda reconhecível.

Ao tirar a carteira do bolso, encontrou apenas fotos de Runciter, nenhuma de seus parentes, nenhuma de amigos. Runciter por todo lado! Guardou a carteira, depois se deu conta, com um choque, que ela tinha sido feita com couro bovino natural, e não plástico. Bem, isso fazia sentido. Nos velhos tempos, havia couro orgânico disponível. E daí? disse a si mesmo. Pegou a carteira novamente e a examinou, melancólico. Passou a mão no couro e experimentou uma nova sensação tátil, agradável. Infinitamente superior ao plástico, concluiu.

De volta à sala mais uma vez, começou a remexer nas coisas, buscando a conhecida abertura para o correio, o nicho oculto na parede que deveria conter as correspondências do dia. Tinha sumido. Não existia mais. Ele refletiu, tentando visualizar o funcionamento do correio de antigamente. No chão do lado de fora da porta do condapto? Não, em algum tipo de caixa. Lembrou-se do termo *caixa de correio*. OK, elas estariam na caixa de correio, mas onde ficavam as caixas de correio? Na entrada principal do prédio? Aquilo parecia – vagamente – correto. Ele ia ter de sair do apartamento. A correspondência seria encontrada no térreo, vinte andares abaixo.

– Cinco centavos, por favor – sua porta disse, quando tentou abri-la. Uma coisa, em todo caso, não havia mudado. A porta com pedágio possuía uma teimosia inata. Ela provavelmente resistiria além de qualquer outra coisa. Depois que tudo, exceto ela, já tivesse regredido há muito tempo, talvez em toda a cidade... senão em todo o mundo.

Pagou cinco centavos à porta, correu pelo corredor até a rampa móvel que havia usado há apenas alguns minutos. A rampa, no entanto, já havia regredido para um lance de escada de degraus inertes de concreto. Vinte lances de escada para baixo, ele refletiu. Degrau por degrau. Impossível, ninguém poderia descer tantos degraus. O elevador. Saiu na direção do elevador, depois lembrou o que tinha acontecido com Al. *Digamos que desta vez eu veja o que ele viu*, disse a si mesmo. Uma gaiola velha de ferro pendurada num cabo metálico, operada por um limítrofe senil usando um boné oficial de ascensorista. Não era uma visão de 1939, mas de 1909, uma regressão muito maior do que qualquer uma com que deparei até agora.

Melhor não arriscar. Melhor ir pela escada.

Resignado, começou a descer.

Havia chegado quase à metade do trajeto quando uma coisa perturbadora de repente ganhou vida em seu cérebro. Não havia nenhum modo de voltar para cima, para o seu condapto ou para o campo de pouso no teto, onde o táxi aguardava. Uma vez que chegasse ao térreo, estaria confinado ali, talvez para sempre. A menos que a lata de spray Ubik fosse potente o bastante para restabelecer o elevador ou a rampa móvel. Locomoção pela superfície, disse a si mesmo. Que diabos vai significar isso no momento em que eu chegar lá embaixo? Trem? Carroça coberta com lona?

Descendo ruidoso, dois degraus de cada vez, seguiu o declive enfadonho. Tarde demais para mudar de ideia agora.

Chegando ao térreo, viu-se diante de um grande saguão, que incluía uma mesa com tampo de mármore, muito longa, na qual repousavam dois vasos de cerâmica com flores – evidentemente, íris. Quatro amplos degraus levavam à porta da frente acortinada. Segurou a maçaneta de vidro facetada e abriu a porta.

Mais degraus. E, à direita, uma fileira de caixas de correio de metal trancadas, cada uma com um nome, cada uma necessitando de uma chave. Ele estava certo. A correspondência só ia até ali. Localizou a sua caixa e encontrou uma tira de papel na parte de baixo. Estava escrito JOSEPH CHIP 2075. Além disso, um botão que, quando apertado, evidentemente tocava lá em cima em seu condapto.

A chave. Ele não tinha chave nenhuma. Ou tinha? Remexendo nos bolsos, descobriu uma argola com várias chaves de metal, de diversos formatos, penduradas. Perplexo, examinou-as, perguntando-se para que servia cada uma. A fechadura da caixa de correio parecia surpreendentemente pequena. Era óbvio que deveria usar uma chave de tamanho similar. Selecionou a menor chave do chaveiro, inseriu-a na fechadura da caixa e virou. A porta de ferro abriu para baixo. Ele espiou o interior.

Dentro, havia duas cartas e um pacote quadrado, envolto em papel marrom, lacrado com fita marrom. Selos roxos de três centavos com o retrato de George Washington. Parou para admirar essas lembranças do passado e, em seguida, ignorando as cartas, rasgou a embalagem do pacote quadrado, achando o peso satisfatório. Mas percebeu, de repente: o formato não é adequado para uma lata de spray. Não tem altura suficiente. Foi atingido pelo medo. E se não fosse a amostra grátis de Ubik? Tinha de ser. Simplesmente tinha de ser. Caso contrário – Al de novo, desde o início. *Mors certa et hora certa,* disse a si mesmo ao largar o embrulho de papel marrom e examinar o interior do recipiente de papelão.

Dentro do recipiente, encontrou um pote de vidro azul com uma tampa grande. No rótulo estava escrito: INSTRUÇÕES DE USO. Esta fórmula analgésica única, desenvolvida em um período de quarenta anos pelo dr. Edward Sonderbar, garante o fim do eterno despertar no meio da noite. Você dormirá tranquilamente pela primeira vez, e com extremo conforto. Apenas dissolva uma colher de chá do BÁLSAMO UBIK PARA FÍGADO E RINS num copo de água morna e beba imediatamente, meia hora antes de se recolher. Se persistirem a dor e a irritação, aumente a dosagem para uma colher de sobremesa. Não dê para crianças. Contém folhas de espirradeira processadas, nitrato de potássio, óleo de hortelã-pimenta, N-acetil-p-aminofenol, óxido de zinco, carvão vegetal, cloreto de cobalto, cafeína, extrato de dedaleira, quantidades ínfimas de esteroides, citrato de sódio e aromatizantes. O BÁLSAMO UBIK PARA FÍGADO E RINS é potente e eficiente se manipulado conforme as instruções. Inflamável. Usar luvas de borracha. Não permitir contato com os olhos. Não passar na pele. Não inalar por longo período de tempo. Aviso: uso prolongado ou excessivo pode resultar em dependência.

Isto é insano, Joe disse a si mesmo. Leu a lista de ingredientes mais uma vez, sentindo uma raiva desconcertante e cada vez maior. E uma sensação crescente de impotência que se enraizou e se espalhou por cada parte dele. Estou liquidado, disse a si mesmo. Isto não é o que Runciter anunciou na TV. Isso é alguma mistura arcana de remédios antigos vendidos sem receita, unguentos para a pele, analgésicos, venenos, bobagens inertes – além de, justamente, cortisona. Que não existia antes da Segunda Guerra. É óbvio que o Ubik que ele descreveu para mim no comercial gravado, ou pelo menos esta amostra, regrediu. Uma ironia que claramente passava dos limites: a própria substância criada para reverter o processo regressivo de mudança regrediu. Eu deveria ter imaginado, assim que vi os três selos roxos de três centavos.

Ele olhou para os dois lados da rua. E viu, estacionado no meio-fio, um carro de superfície clássico, uma peça de museu. Um LaSalle.

Será que eu consigo chegar a Des Moines num automóvel LaSalle de 1939, perguntou-se. No fim, se ele permanecer estável, talvez daqui a uma semana. Mas até lá, não vai importar. E, de todo modo, o carro não permanecerá estável. Nada – exceto talvez a minha porta – permanecerá.

Ainda assim, ele foi até o LaSalle para examiná-lo de perto. Talvez seja meu, disse a si mesmo, talvez uma de minhas chaves encaixe na ignição. Não é assim que os carros de superfície funcionavam? Por outro lado, como vou dirigi-lo? Não sei como pilotar um automóvel antigo, especialmente com – como se chamava? – transmissão manual. Abriu a porta e sentou devagar no assento atrás do volante. Ficou ali, puxando o lábio inferior, incerto, tentando pensar direito na situação.

Talvez eu tenha de engolir uma colher de chá de bálsamo Ubik para fígado e rins, disse a si mesmo, de modo assustador. Com esses ingredientes, ele deve me matar de modo absoluto e completo. Mas não lhe pareceu o tipo de morte que lhe agradaria. O cloreto de cobalto daria conta, de forma muito lenta e dolorosa, a não ser que a dedaleira conseguisse antes. E havia, é claro, as folhas de espirradeira. Elas dificilmente passariam despercebidas. A combinação toda faria seus ossos derreterem até virar geleia. Centímetro por centímetro.

Espera um pouco, pensou. O transporte aéreo existia em 1939. Se puder chegar ao aeroporto de Nova York – possivelmente com este carro – eu poderia fretar um voo. Alugar um avião trimotor Ford com piloto. Com isso, chegaria a Des Moines.

Tentou suas várias chaves e, finalmente, encontrou uma que ligou a ignição do carro. O contato de partida foi acionado, e, depois, o motor pegou. Com um ronco vigoroso, o motor continuou a girar, e o som o agradou. Como a carteira de couro genuíno, esta regressão, em particular, lhe pareceu uma melhora. Por ser completamente silencioso, o transporte de seu tempo deixara de ter este toque palpável de realismo robusto.

Agora a embreagem, disse a si mesmo. Lá na esquerda. Com o pé, ele a localizou. A embreagem colada no piso, depois engatar a marcha com o câmbio. Ele tentou – e obteve um ruído conflitante horrível, metal zunindo contra metal. Evidentemente, ele tinha conseguido relaxar o pé da embreagem. Tentou de novo. Desta vez, conseguiu engatar a marcha com sucesso.

Aos trancos, o carro moveu-se para a frente. Resistiu e estremeceu, mas se moveu. Avançou com dificuldade pela rua, num trajeto irregular, e ele sentiu dentro de si uma certa renovação comedida de otimismo. E agora vamos ver se conseguimos encontrar o maldito campo de aviação, disse a si mesmo. Antes que seja tarde demais, antes de voltarmos ao tempo do motor rotativo Gnome, com seus cilindros giratórios externos e lubrificante de óleo de rícino. Servia bem por oitenta quilômetros de voo baixo a cem quilômetros por hora.

Uma hora depois, chegou ao campo de aviação, estacionou e examinou os hangares, a biruta, os velhos bimotores com suas enormes hélices de madeira. Que visão, refletiu. Uma página indistinta da história. Vestígios recriados de um outro milênio, sem qualquer conexão com o mundo conhecido, real. Um fantasma que passava rapidamente pelo campo de visão. Aquilo também logo desapareceria: não sobreviveria mais que os artefatos contemporâneos. O processo de degeneração varreria aquilo para longe, como havia feito com todas as outras coisas.

Saiu trêmulo do LaSalle – sentindo um enjoo agudo – e seguiu com dificuldade até os prédios principais do campo de aviação.

– O que consigo fretar com isto? – perguntou, colocando todo o seu dinheiro sobre o balcão diante da primeira pessoa com ar oficial em que bateu os olhos. – Quero chegar a Des Moines o mais rápido possível. Quero decolar imediatamente.

O funcionário do campo de aviação, careca, bigode farto, óculos pequenos e redondos com aros dourados, examinou as notas em silêncio.

– Ei, Sam – ele chamou, virando a cabeça redonda em forma de maçã. – Vem aqui ver este dinheiro.

Um segundo indivíduo, usando uma camisa listrada de mangas bufantes, calça brilhante de anarruga e sapatos de lona, aproximou-se com passos duros.

– Dinheiro falso – disse, depois de dar uma olhada. – Dinheiro de brincadeira. Nem George Washington, nem Alexander Hamilton. – Os dois funcionários examinaram Joe.

Ele disse:

– Estou com um LaSalle '39 no estacionamento. Troco por um voo de ida para Des Moines em qualquer avião que me leve até lá. Isso interessa a vocês?

De imediato, o funcionário de óculos dourados disse, pensativo:

– Talvez Oggie Brent se interesse.

– Brent? – disse o funcionário com calça de anarruga, erguendo as sobrancelhas. – Tá falando daquele Jenny dele? O avião tem mais de vinte anos. Não chegaria à Filadélfia.

– E McGee?

– Claro, mas ele está em Newark.

– Então, talvez, Sandy Jepersen. Aquele Curtiss-Wright dele chegaria a Iowa. Cedo ou tarde. – Para Joe, o funcionário disse: – Saia pelo hangar três e procure um bimotor Curtiss vermelho e branco. Você vai ver um cara baixinho, meio gordo, mexendo nele. Se ele não levar você nesse avião, ninguém mais aqui vai. A não ser que queira esperar, até amanhã, o Ike McGee voltar com o trimotor Fokker dele.

– Obrigado – Joe disse, e deixou o prédio. Seguiu rapidamente, com passos largos, na direção do hangar três, já vendo o que parecia ser um bimotor Curtiss-Wright vermelho e branco. Pelo menos não farei a viagem num avião JN de treinamento da Segunda Guerra, disse a si mesmo. Depois pensou: *Como eu sabia que "Jenny" é o apelido do* JN *de treinamento?* Meu Deus, pensou. Os elementos deste período parecem estar desenvolvendo coordenadas correspondentes na minha mente. Não admira que tenha conseguido dirigir o LaSalle. Estou, de fato, começando a sincronizar mentalmente com este contínuo temporal!

Um homem baixo e gordo, de cabelo vermelho, passava distraidamente um trapo engordurado nas rodas do seu bimotor. Ele ergueu a cabeça quando Joe se aproximou.

– É o senhor Jespersen? – Joe perguntou.

– Isso mesmo. – O homem o examinou, claramente perplexo com as roupas de Joe, que não haviam retrocedido. – O que posso fazer pelo senhor?

Joe lhe contou.

– Quer trocar um LaSalle, um LaSalle novo, por uma viagem de ida até Des Moines? – Jepersen cogitou, a testa franzida. – Poderia até ser ida e volta. Tenho que voar de volta mesmo. OK, vou dar uma olhada nele. Mas não estou prometendo nada. Não me decidi ainda.

Juntos, foram até o estacionamento.

– Não estou vendo nenhum LaSalle '39 – Jespersen disse, desconfiado.

O homem estava certo. O LaSalle tinha desaparecido. Em seu lugar, Joe viu um cupê Ford com teto de tecido, um carro pequeno, minúsculo, muito velho, 1929, ele supôs. Um Ford Modelo A 1929, preto. Quase sem valor, ele pôde concluir pela expressão de Jespersen.

Ficou óbvio que agora era impossível. Ele nunca chegaria a Des Moines. E, como Runciter havia indicado em seu comercial de TV, isso significava a morte – a mesma morte que atacou Wendy e Al.

Seria apenas uma questão de tempo.

Melhor, ele pensou, morrer de outra forma. Ubik, pensou. Abriu a porta do seu Ford e entrou.

Ali, no assento ao lado dele, estava o frasco que havia recebido pelo correio. Ele o pegou...

E descobriu algo que não chegou a surpreendê-lo. O frasco, como o carro, havia regredido de novo. Uniforme e achatado, com arranhões, o tipo de frasco feito num molde de madeira. Muito velho, realmente. A tampa parecia feita à mão, de rosca de latão, mole, datada do fim do século 19. O rótulo também havia mudado. Ele ergueu o frasco e leu as palavras impressas.

ELIXIR DE UBIQUE. GARANTIA DE RECUPERAÇÃO DA MASCULINIDADE PERDIDA E DA ELIMINAÇÃO DE TODOS OS TIPOS CONHECIDOS DE MAU CHEIRO, ASSIM COMO DO ALÍVIO PARA INCÔMODOS REPRODUTIVOS TANTO EM HOMENS COMO EM MULHERES. UM AUXÍLIO BENÉFICO PARA A HUMANIDADE QUANDO EMPREGADO ZELOSAMENTE CONFORME INDICAÇÕES.

E em letras menores, uma continuação da inscrição. Ele teve de espremer os olhos para ler a escrita borrada e miúda.

Não faça isso, Joe. Existe uma outra forma.
Continue tentando. Você vai descobrir. Muita sorte.

Runciter, ele percebeu. Ainda fazendo seus jogos sádicos de gato e rato conosco. Cutucando para nos fazer seguir em frente um pouco mais. Atrasando o fim pelo maior tempo possível. Deus sabe por quê. Talvez, pensou, Runciter sinta prazer com o nosso tormento. Mas isso não é típico dele, não é o Runciter que conheci.

Ainda assim, Joe pôs o frasco do Elixir de Ubique de volta onde estava, abandonando a ideia de usá-lo.

E perguntou-se qual seria a misteriosa outra forma que Runciter mencionara.

11

Tomado conforme as indicações, Ubik proporciona sono ininterrupto, sem a tontura na manhã seguinte. Você desperta novo, pronto para lidar com todos aqueles probleminhas irritantes que estão diante de você. Não exceder a dosagem recomendada.

– Ei, esse frasco que você tem aí – disse Jespersen. Ele espiava dentro do carro, um tom peculiar na voz. – Posso ver?

Mudo, Joe Chip passou ao aviador o frasco achatado de Elixir de Ubique.

– Minha avó costumava falar disso – disse Jespersen, erguendo o frasco para a luz. – Onde você conseguiu? Não fazem mais isto desde o tempo da Guerra Civil.

– Eu herdei – disse Joe.

– Deve ter herdado. É, não se vê mais esses frascos feitos à mão. Pra começar, a empresa nunca produziu muitos desses. Esse remédio foi inventado em São Francisco por volta de 1850. Nunca foi vendido em lojas. Os clientes tinham que encomendar e mandar fazer. Tinha em três intensidades. Essa que você tem, essa é a mais forte das três. – Ele encarou Joe. – Você sabe o que tem nisso?

– Claro – disse Joe. – Óleo de hortelã-pimenta, óxido de zinco, citrato de sódio, carvão vegetal...

– Deixa pra lá – interrompeu Jespersen. Franzindo a testa, parecia estar ocupado em revirar alguma coisa em sua mente. Depois, finalmente, sua expressão mudou. Havia chegado a uma conclusão. – Vou te levar de avião a Des Moines em troca desse frasco de Elixir de Ubique. Vamos dar partida. Quero fazer a maior parte possível do voo à luz do dia. – Ele se afastou com passos largos do Ford 29, levando o frasco consigo.

Dez minutos depois, o bimotor Curtiss-Wright tinha sido abastecido, a hélice, girada manualmente e, com Joe Chip e Jespersen a bordo, começou a traçar um trajeto irregular e desajeitado pela pista de decolagem, saltando para o ar e caindo de volta no chão. Joe rangeu os dentes e aguentou firme.

– Estamos carregando peso demais – Jespersen disse, sem emoção. Não parecia alarmado. O avião finalmente subiu oscilante pelo ar, deixando a pista de vez para trás. Ruidoso, ele zuniu acima dos telhados em seu caminho para o oeste.

Joe gritou:

– Quanto tempo vamos demorar pra chegar lá?

– Depende de quanto vento de popa pegarmos. Difícil dizer. Provavelmente por volta do meio-dia, amanhã, se a sorte ficar do nosso lado.

– Pode me dizer agora – gritou Joe – o que tem no frasco?

– Lascas de ouro suspensas numa base composta, principalmente, de óleo mineral – o piloto gritou, em resposta.

– Quanto ouro? Muito?

Jespersen virou a cabeça e abriu um sorriso, sem responder. Ele não precisava dizer, ficou óbvio.

O velho bimotor Curtiss-Wright seguiu, barulhento, na direção geral de Iowa.

Às três da tarde do dia seguinte, eles chegaram ao campo de aviação de Des Moines. Depois de pousar o avião, o piloto foi saracotear por locais desconhecidos, levando junto o frasco com lascas de ouro. Com rigidez dolorosa e câimbras, Joe desceu do avião, ficou esfregando as pernas dormentes e, depois, seguiu trôpego até o atendimento do aeroporto, o pouco que havia.

– Posso usar seu telefone? – perguntou ao funcionário idoso e rústico que estava sentado, curvado sobre uma carta meteorológica, absorvido no que estava fazendo.

– Se tiver cinco centavos. – O funcionário, com uma sacudida da cabeça e do topete, apontou para o telefone público.

Joe vasculhou seu dinheiro, descartando todas as moedas com o perfil de Runciter. Por fim, encontrou um *nickel* daquele período e o colocou diante do funcionário idoso.

– Hump – o funcionário grunhiu, sem erguer a cabeça.

Depois de localizar o catálogo telefônico, Joe transcreveu o número da Funerária Simples Pastor. Deu o número para a telefonista, e logo, outra pessoa respondeu.

– Funerária Simples Pastor. Senhor Bliss.

– Estou aqui para comparecer ao velório de Glen Runciter – disse Joe. – Estou muito atrasado? – Ele rezou em silêncio para que não estivesse.

– O velório do senhor Runciter está acontecendo neste exato momento – disse o senhor Bliss. – Onde o senhor está? Gostaria que enviássemos um veículo para buscá-lo? – Ele parecia desaprovador e irrequieto.

– Estou no aeroporto – disse Joe.

– Deveria ter chegado mais cedo – o senhor Bliss o repreendeu. – Duvido muito que o senhor consiga comparecer a qualquer parte da cerimônia. No entanto, o senhor Runciter ficará em câmara ardente pelo resto do dia, e amanhã de manhã. Fique atento à chegada de nosso carro, senhor...

– Chip – disse Joe.

– Sim, o senhor está sendo aguardado. Vários dos amigos e parentes pediram que mantivéssemos uma vigília para o senhor, assim como para o senhor Hammond e para... – ele fez uma pausa – a senhorita Wright. Eles estão com o senhor?

– Não – disse Joe. Ele desligou, depois sentou num banco curvo de madeira polida, onde podia ver os carros que se aproximavam do aeroporto. De todo modo, disse a si mesmo, cheguei a tempo de me juntar ao resto do grupo. Eles ainda não saíram da cidade, e é isso que importa.

O funcionário idoso o chamou:

– Senhor, venha aqui um segundo.

Joe levantou-se e atravessou a sala de espera.

– Qual o problema?

– Este *nickel* que o senhor me deu. – O funcionário tinha examinado a moeda por todo aquele tempo.

– É um *buffalo nickel* – disse Joe – Não é a moeda certa para este período?

– A data da moeda é 1940 – o funcionário idoso o encarou sem piscar.

Com um suspiro, Joe pegou as moedas restantes, mais uma vez as separou. Finalmente, encontrou um *nickel* de 1938 e o jogou diante do funcionário.

– Fique com as duas – ele disse, e se sentou mais uma vez no banco curvo e polido.

– A gente recebe dinheiro falsificado de vez em quando – disse o funcionário.

Joe não disse nada. Voltou sua atenção para a cômoda do rádio Audiola que tocava sozinho, num canto da sala de espera. O locutor fazia o anúncio de uma pasta de dente chamada Ipana. Quanto tempo será que terei de esperar aqui, Joe se perguntou. Aquilo o deixou nervoso, agora que havia chegado tão perto, fisicamente, dos inerciais. Odiaria ter chegado tão longe, pensou, a alguns quilômetros de distância deles, e aí... Interrompeu os pensamentos naquele ponto e simplesmente ficou sentado.

Meia hora depois, um Willys-Night 87 do ano de 1930 entrou, estalando o motor, no estacionamento do campo de aviação. Um indivíduo de aparência rústica e grosseira, usando um terno preto chamativo, apareceu e cobriu os olhos com a palma da mão para poder ver dentro da sala de espera.

Joe aproximou-se dele.

– Senhor Bliss? – perguntou.

– Claro que sim. – Bliss apertou sua mão brevemente, exalando um cheiro forte de Sen-sen*, depois entrou de imediato no Willys-Knight e ligou o motor. – Vamos, senhor Chip. Por favor, apresse-se. Ainda podemos conseguir assistir a uma parte da cerimônia. O padre Abernathy geralmente fala durante um bom tempo, em ocasiões tão importantes como esta.

Joe sentou no banco da frente, ao lado do senhor Bliss. No momento seguinte, em meio ao ruído de partes mecânicas em ação, entraram na estrada que ia dar no centro de Des Moines, correndo a velocidades que às vezes alcançavam 60 quilômetros por hora.

– O senhor é empregado do senhor Runciter? – Bliss perguntou.

– Isso – disse Joe.

– Ramo de negócios peculiar esse em que estava o senhor Runciter. Não tenho certeza se entendo. – Bliss buzinou para um perdigueiro que se aventurava no asfalto. O cão recuou, dando ao Willys-Wright seu pomposo direito de passagem. – O que significa "psiônico"? Vários dos empregados do senhor Runciter usaram o termo.

– Poderes parapsicológicos – disse Joe. – Forças mentais que operam diretamente, sem nenhum agente físico intermediário.

– Poderes místicos, quer dizer? Como saber o futuro? A razão para a minha pergunta é que vários membros da firma falaram do futuro como se ele já existisse. Não comigo, não disseram nada a respeito a não ser uns com os outros, mas eu ouvi... Sabe como é. Vocês são médiuns, é isso?

– De certo modo.

– O que o senhor prevê com relação à guerra na Europa?

– A Alemanha e o Japão perderão. Os Estados Unidos entrarão no dia 7 de dezembro de 1941. – Joe ficou em silêncio então, não se

---

* Produto usado no século 19 para manter o hálito fresco. [N. do T.]

sentindo disposto a discutir o assunto. Tinha os próprios problemas para ocuparem sua atenção.

– Eu sou um *shriner** – disse Bliss.

O que o resto do grupo está vivenciando? Joe se perguntou. Esta realidade? Os Estados Unidos de 1939? Ou, quando eu voltar a me juntar a eles, minha regressão será revertida, colocando-me num período posterior? Boa pergunta. Porque, coletivamente, eles teriam de encontrar um jeito de voltar 53 anos, até as formas aceitáveis e apropriadas do tempo atual, não regredido. Se o grupo como um todo tivesse vivenciado o mesmo tanto de regressão, o ato de juntar-se a eles não o ajudaria, nem a eles – exceto sob um aspecto: ele poderia ser poupado da provação de passar por mais deteriorações do mundo. Por outro lado, esta realidade de 1939 parecia bastante estável. Nas últimas 24 horas, ela havia conseguido se manter praticamente constante. Mas, refletiu, isso pode ser devido à minha aproximação ao grupo.

Por outro lado, o pote de bálsamo para fígado e rins Ubik de 1939 havia retrocedido oitenta e poucos anos adicionais: foi da lata de spray ao pote e depois ao frasco feito em molde de madeira em algumas horas. Como o elevador de 1908 que somente Al viu...

Mas não foi assim. O piloto baixo e gordo, Sandy Jespersen, também viu o frasco feito em molde de madeira, o Elixir de Ubique, como acabou se tornando por fim. *Essa não foi uma visão particular. Na verdade, foi ela que o levou a Des Moines*. E o piloto também viu a regressão do LaSalle. Ao que parecia, algo totalmente diferente havia acometido Al. Pelo menos, ele esperava que sim. Rezava para que assim fosse.

Digamos, refletiu, que não possamos reverter nossa regressão, digamos que iremos permanecer aqui pelo restante da vida. *Isso é tão ruim?* Podemos nos acostumar a rádios Philco em estantes de

---

* Antiga Ordem Árabe dos Nobres do Santuário Místico – mais conhecidos como *shriners*, do inglês *shrine*, "santuário". Ordem existente apenas nos Estados Unidos. Responsáveis pela manutenção de hospitais, atuam como palhaços em diversos eventos sociais. [N. do T.]

madeira, grade blindada, nove válvulas, ainda que não sejam necessários de fato, contanto que o circuito super-heteródino já tenha sido inventado – embora eu ainda não tenha encontrado nenhum. Podemos aprender a dirigir automóveis Austin americanos vendidos a 445 dólares – uma quantia que surgiu na sua mente aparentemente ao acaso, mas que, ele intuía, estava correta. Assim que conseguirmos empregos e recebermos dinheiro deste período, disse a si mesmo, não voaremos a bordo de bimotores Cutiss-Wright antigos. Afinal, quatro anos atrás, em 1935, foi inaugurado o serviço transpacífico por meio dos "Veleiros do Chá". O trimotor Ford é um avião de onze anos de idade a esta altura. Para essas pessoas, é uma relíquia, e o bimotor em que vim até aqui é – mesmo para eles – uma peça de museu. O LaSalle que eu tinha, antes de retroceder, era uma máquina considerável. Senti uma satisfação verdadeira ao dirigi-lo.

– E a Rússia? – o senhor Bliss estava perguntando. – Na guerra, quero dizer. Destruímos aqueles vermelhos? Consegue ver tão longe?

Joe disse:

– A Rússia vai lutar do mesmo lado dos Estados Unidos. – E todos os outros objetos, entidades e artefatos deste mundo, ele ponderou. A medicina será um grande obstáculo. Deixa eu ver... Neste exato momento, eles deveriam estar usando medicamentos à base de sulfa. A coisa vai ficar séria para nós quando ficarmos doentes. E... a parte dentária também não será muito divertida. Ainda estão trabalhando com brocas quentes e novocaína. Pastas de dente com fluoreto ainda nem existem. Isso, só vinte anos no futuro.

– Do nosso lado? – Bliss esbravejou. – Os comunistas? Impossível. Eles têm aquele pacto com os nazistas.

– A Alemanha vai violar esse pacto – disse Joe. – Hitler vai atacar a União Soviética em junho de 1941.

– E destruí-la, espero.

Retirado de surpresa das suas próprias preocupações, Joe se virou para olhar com atenção para o senhor Bliss, dirigindo o seu Willys-Wright de nove anos.

Bliss disse:

– Os comunistas são a verdadeira ameaça, não os alemães. O tratamento dado aos judeus, por exemplo. Sabe quem ganha muito com isso? Os judeus neste país, muitos deles não são cidadãos, mas refugiados vivendo à custa de benefícios públicos. Acho que os nazistas certamente têm sido um pouco radicais em algumas das coisas que têm feito aos judeus, mas alguma coisa, talvez não tão cruel quanto esses campos de concentração, tinha de ser feita a respeito. Temos um problema semelhante aqui nos Estados Unidos, tanto com os judeus quanto com os crioulos. Vamos acabar tendo que fazer algo a respeito de ambos.

– Na verdade, nunca cheguei a ouvir o termo "crioulos" sendo usado – disse Joe e, de uma hora para outra, viu-se avaliando aquela época de modo um pouco diferente. Tinha me esquecido disso, percebeu.

– Lindbergh é que está certo quanto à Alemanha – disse Bliss. – Já ouviu ele falando? Não me refiro ao modo como os jornais transcrevem, mas, na verdade... – Ele reduziu a velocidade do carro até parar diante de um sinal de pare em estilo de semáforo. – O senador Borah e o senador Nye, por exemplo. Se não fosse por eles, Roosevelt estaria vendendo munições à Inglaterra e colocando-nos numa guerra que não é a nossa. É irritante o interesse de Roosevelt em revogar a cláusula do embargo às armas no projeto da lei de neutralidade. Ele quer que a gente entre na guerra. O povo americano não vai apoiá-lo. O povo americano não está interessado em lutar a guerra da Inglaterra, ou a guerra de qualquer outro país. – O sinal ressoou, e um semáforo verde girou para fora. Bliss engatou a primeira marcha e o Willys-Wright avançou, desajeitado, misturando-se ao trânsito do centro de Des Moines ao meio-dia.

– O senhor não vai apreciar os próximos cinco anos – disse Joe.

– Por que não? O Estado de Iowa inteiro está apoiando o que eu acredito. Sabe o que penso de vocês, empregados do senhor Runciter? Pelo que o senhor disse e pelo que aqueles outros disseram, e ouvi por acaso, acho que vocês são agitadores profissionais. – Bliss olhou de relance para Joe, com arrogância explícita.

Joe não disse nada. Ele via os prédios antigos de tijolo, madeira e concreto passarem, os carros esquisitos – a maioria, preta – e se perguntava se era o único no grupo que se confrontava com aspectos específicos do mundo de 1939. Em Nova York, disse a si mesmo, será diferente. Este é o Cinturão Bíblico, o meio-oeste isolacionista. Não vamos morar aqui. Ficaremos na Costa Leste, ou no Oeste.

Mas, instintivamente, sentiu que um problema maior para todos eles acabava de se expor. Sabemos demais, deu-se conta, para vivermos de modo confortável neste segmento temporal. Se tivéssemos voltado vinte anos, ou trinta, provavelmente poderíamos fazer a transição psicológica. Poderia até não ser interessante passar mais uma vez pelas atividades extraveiculares do Gemini e pelos primeiros voos da Apollo, mas pelo menos seria possível. Mas neste ponto do tempo...

Ainda estão ouvindo discos de dez polegadas e 78 rotações de "Two Black Crows". E Joe Penner. E "Merter e Marge". A Depressão ainda está acontecendo. Em nosso tempo, mantemos colônias em Marte, em Luna. Estamos aperfeiçoando voos interestelares praticáveis. Essas pessoas não são capazes de lidar com as tempestades de poeira de Oklahoma.

Este é um mundo que vive em termos da oratória de William Jennings Bryan. O julgamento de Scopes, por ensinar a teoria da evolução das espécies, é uma realidade vívida aqui. Não há nenhuma chance de nos adaptarmos ao ponto de vista deles, ao seu ambiente moral, político, sociológico. Para eles, somos agitadores profissionais, mais hostis que os nazistas, provavelmente mais ameaçadores que o Partido Comunista. Somos os agitadores mais perigosos com que este segmento temporal poderia ter de lidar. Bliss está absolutamente certo.

– De onde vocês são? – Bliss perguntava. – Não de nenhuma parte dos Estados Unidos, estou correto?

Joe disse:

– Está correto. Somos da Confederação Norte-Americana. – Tirou do bolso uma moeda de 25 centavos de Runciter, que entregou a Bliss. – À vontade – disse.

Olhando rapidamente para a moeda, Bliss engoliu seco e disse com a voz trêmula:

– O perfil nesta moeda... é o falecido! É o senhor Runciter! – Olhou mais uma vez e empalideceu. – E a data... 1990.

– Não gaste tudo de uma vez – disse Joe.

Quando o Willys-Wright chegou à Funerária Simples Pastor, a cerimônia já havia acabado. Nos amplos degraus brancos de madeira do prédio de dois andares, havia um grupo de pessoas, e Joe reconheceu todas. Lá estavam, finalmente, Edie Dorn, Tippy Jackson, Jon Ild, Francy Spanish, Tito Apostos, Don Denny, Sammy Mundo, Fred Zafsky e... Pat. Minha esposa, disse a si mesmo, impressionado mais uma vez diante da visão dela, os cabelos negros dramáticos, a coloração intensa dos olhos e da pele, todos os contrastes poderosos que irradiava.

– Não – ele disse em voz alta, ao descer do carro estacionado. – Ela não é minha esposa. Ela apagou isso. – Mas, lembrou-se, ela ficou com o anel. A aliança exclusiva de prata trabalhada e jade que eu e ela escolhemos... Isso é tudo que resta. Mas que choque vê-la novamente. Recuperar, por um instante, o manto fantasmagórico de um casamento que foi abolido. Que na verdade nunca existiu – exceto por esse anel. E, assim que quisesse, poderia eliminar o anel também.

– Oi, Joe Chip – ela disse com a voz impassível, quase zombadora, o olhar intenso fixo nele, avaliando-o.

– Olá – disse ele, sem jeito. Os outros também o cumprimentaram, mas isso não parecia tão importante. Pat havia prendido sua atenção.

– Nada de Al Hammond? – perguntou Don Denny.

Joe disse:

– Al está morto. Wendy Wright está morta.

– Sabemos de Wendy Wright – disse Pat. Calmamente.

– Não, não sabíamos – disse Don Denny. – Supúnhamos, mas não tínhamos certeza. *Eu* não tinha certeza. – E disse a Joe: – O que houve com eles? O que os matou?

– Eles se esgotaram – disse Joe.

– Por quê? – disse Tito Apostos com a voz rouca, abrindo caminho no círculo de pessoas que cercavam Joe.

Pat Conley disse:

– A última coisa que você nos disse, Joe Chip, lá em Nova York, antes de sair com Hammond...

– Eu sei o que eu disse – interrompeu Joe.

Pat continuou:

– Você disse algo sobre anos. "Tinha passado tempo demais", você disse. O que significava? Algo sobre o tempo.

– Senhor Chip – disse Edie Dorn, agitada –, desde que viemos a este lugar, a cidade mudou radicalmente. Nenhum de nós entende. O senhor vê o que estamos vendo? – Com a mão, ela gesticulou na direção do prédio da funerária, depois para as ruas e os outros prédios.

– Não tenho certeza – disse Joe – do que vocês estão vendo.

– Ora, Joe – Tito Apostos disse com raiva. – Não enrola. Simplesmente diga, pelamordedeus, como está vendo este lugar. Aquele veículo. – Ele gesticulou na direção do Willys-Wright. – Você chegou nele. Diga-nos o que é aquilo. Diga em que você chegou. – Todos esperaram, todos observando Joe atentamente.

– Senhor Chip – Sammy Mundo gaguejou –, aquilo é um verdadeiro automóvel antigo, é isso o que é, certo? – Ele deu uma risadinha. – Quantos anos ele tem exatamente?

Após uma pausa, Joe disse:

– Sessenta e dois anos.

– Isso quer dizer que é 1930 – Tippy Jackson disse a Don Denny. – O que é bem próximo do que calculamos.

– Calculamos que fosse 1939 – Don Denny disse a Joe, com uma voz uniforme. Uma voz moderada, imparcial, de barítono. Sem emotividade demasiada. Mesmo naquelas circunstâncias.

Joe disse:

– É razoavelmente fácil estabelecer isso. Dei uma olhada num jornal no meu condapto em Nova York. Doze de setembro. Então, hoje é dia 13 de setembro de 1939. Os franceses acham que abriram brechas na Linha de Siegfried.

– O que, em si – disse Jon Ild –, é de matar de rir.

– Eu esperava – disse Joe – que vocês, enquanto grupo, estivessem vivenciando uma realidade posterior. Bem, então é assim.

– Se é 1939, é 1939 – disse Fred Zafsky com uma voz aguda, estridente. – Natural, todos nós vivenciamos isso. O que mais podemos fazer? – Ele agitava os braços longos de modo enérgico, pedindo a concordância dos outros.

– Vá se ferrar, Zafsky – Tito Apostos disse, com irritação.

E Joe Chip disse a Pat:

– O que você diz sobre isso?

Ela deu de ombros.

– Não dê de ombros – ele disse. – Responda.

– Voltamos no tempo – disse Pat.

– Na verdade, não – disse Joe.

– Então, o que fizemos? – disse Pat. – Avançamos no tempo, é isso?

Joe disse:

– Não fomos a lugar nenhum. Estamos onde sempre estivemos. Mas por alguma razão... por uma de uma série de razões possíveis... a realidade retrocedeu. Perdeu seu suporte subjacente e fluiu para formas anteriores. Formas que tomou 53 anos atrás. Pode ser que regrida ainda mais. Estou mais interessado, neste ponto, em saber se Runciter se manifestou para vocês.

– Runciter – disse Don Denny, desta vez com emotividade demasiada – jaz dentro deste prédio em seu caixão, morto como um arenque. Essa é a única manifestação que tivemos dele, e é a única que vamos conseguir.

– A palavra "Ubik" significa alguma coisa para o senhor, senhor Chip? – perguntou Francesca Spanish.

Ele levou um momento para absorver o que ela havia dito.

– Meu Deus – ele disse, então. – Você não é capaz de distinguir manifestações de...

– Francy tem sonhos – disse Tippy Jackson. – Sempre teve. Conte a ele seus sonhos de Ubik, Francy. – Ela disse a Joe: – Francy vai lhe contar agora seus sonhos de Ubik, como ela os chama. Ela teve um ontem à noite.

– Eu chamo assim porque é o que são – Francesca Spanish disse ferozmente. Apertou as mãos num espasmo de agitação nervosa. – Ouça, senhor Chip, não foi como qualquer outro sonho que já tive antes. Uma mão enorme desceu do céu, como o braço e a mão de Deus. Imensa, do tamanho de uma montanha. E o tempo todo eu sabia da importância dela. A mão estava fechada, formando um punho que lembrava uma rocha, e sabia que continha algo de valor tão grande que a minha vida e a vida de todos os outros na Terra dependiam dela. E esperei o punho se abrir, e ele abriu. E vi o que continha.

– Uma lata de spray aerossol – Don Denny disse, seco.

– Na lata de spray – prosseguiu Francesca Spanish – havia uma palavra, grandes letras douradas, brilhando. O fogo dourado escrevendo UBIK. Nada mais. Apenas essa palavra estranha. Depois, a mão se fechou novamente em torno da lata de spray, e mão e braço desapareceram, recolhendo-se para o alto, para o interior de uma espécie de nuvem cinza. Hoje, antes do funeral, procurei num dicionário e liguei para a biblioteca pública, mas ninguém conhecia essa palavra ou sabia de que língua é, e não está no dicionário. Não é inglês, o bibliotecário me disse. Tem uma palavra latina muito parecida: *ubique*. Significa...

– Em todo lugar – disse Joe.

Francesca Spanish assentiu com a cabeça.

– É isso o que significa. Mas nada de Ubik, e era assim que estava escrito no sonho.

– São a mesma palavra – disse Joe. – Apenas grafias diferentes.

– Como sabe disso? – Pat Conley disse, com malícia.

– Runciter apareceu para mim ontem – disse Joe. – Num comercial de TV gravado que ele fez antes da morte. – Não elaborou a resposta, parecia complexo demais para explicar, pelo menos naquele momento em particular.

– Seu pobre imbecil – disse Pat Conley.

– Por quê? – ele perguntou.

– Você pensa que é assim que um homem morto se manifesta? Se for assim, você pode considerar "manifestações" as cartas que ele escreveu antes da morte. Ou memorandos para escritórios que transcreveu ao longo dos anos. Ou até...

Joe interrompeu:

– Vou entrar e olhar para Runciter pela última vez. – Ele se afastou do grupo, deixando-os ali parados, subiu os amplos degraus de madeira e entrou na funerária fria e escura.

Vazio. Não via ninguém, somente uma câmara grande, com fileiras de bancos como os de uma igreja e, no outro extremo, um caixão cercado de flores. Isolado numa sala pequena, um órgão antiquado feito de junco e algumas cadeiras dobráveis de madeira. A funerária cheirava a poeira e flores, uma mistura adocicada e envelhecida que o repugnava. E pensar em todos os moradores de Iowa, ele refletiu, que abraçaram a eternidade nesta sala cheia de apatia. Pisos lustrados, lenços, ternos pesados e escuros de lã... nada além de moedas colocadas sobre olhos mortos. E o órgão tocando hinozinhos simétricos.

Ele chegou ao caixão, hesitou, e olhou para baixo.

Um amontoado de ossos chamuscados e desidratados num dos lados do caixão culminava num crânio que parecia de papel e que olhava de soslaio para ele, os olhos recuados, como uvas secas. Farrapos de pano com tiras entrelaçadas de cerdas arrepiadas haviam se juntado ao corpo minúsculo, como se soprados ali pelo vento. Como se o corpo, respirando, tivesse coberto a si mesmo com eles por meio de seus processos ofegantes, escassos – inspiração e expiração –, que agora haviam cessado. Nada se movia. A mudança misteriosa, que também havia degradado Wendy Wright e Al, havia atingido seu fim, evidentemente há muito tempo. Anos atrás, ele pensou, lembrando-se de Wendy.

Os outros do grupo tinham visto aquilo? Ou acontecera depois da cerimônia? Joe estendeu a mão, segurou a tampa de carvalho do caixão e o fechou. O baque de madeira contra madeira ecoou por toda a funerária vazia, mas ninguém ouviu. Ninguém apareceu.

Cego por lágrimas de pavor, ele seguiu para fora do salão silencioso e coberto de poeira. De volta à luz do sol fraca do fim de tarde.

– Qual o problema? – Don Denny perguntou quando ele se juntou ao grupo.

Joe respondeu:

– Nada.

– Você parece estar morrendo de medo – Pat Conley disse, enfaticamente.

– Nada! – Ele a encarou com hostilidade profunda e enfurecida.

Tippy Jackson disse a ele:

– Enquanto estava lá dentro, por acaso viu Edie Dorn?

– Ela está desaparecida – Jon Ild explicou.

– Mas ela estava aqui fora agora há pouco – Joe protestou.

– O dia todo ela disse que estava se sentindo terrivelmente cansada e com frio – disse Don Denny. – Pode ser que tenha voltado para o hotel. Ela disse algo assim antes, que queria se deitar e dormir um pouco logo após a cerimônia. Ela deve estar bem.

Joe disse:

– Deve estar morta. – E disse a todos: – Achei que vocês tivessem entendido. Se qualquer um de nós se separar do grupo, não sobreviverá. O que aconteceu a Wendy, Al e Runciter... – ele parou de repente.

– Runciter morreu na explosão – disse Don Denny.

– Todos nós morremos na explosão – disse Joe. – Sei disso porque Runciter me disse. Ele escreveu isso na parede do banheiro masculino em nosso prédio em Nova York. E eu vi de novo no...

– O que você está dizendo é loucura – Pat Conley disse categoricamente, interrompendo-o. – Runciter está morto ou não está? Nós estamos mortos ou não? Primeiro você diz uma coisa, depois outra. Não consegue ser coerente?

– Tente ser coerente – Jon Ild interveio. Os outros, as expressões comprimidas e enrugadas de preocupação, balançavam a cabeça em concordância muda.

Joe disse:

– Posso contar a vocês o que estava escrito na pichação. Posso falar sobre o gravador gasto, as instruções que vieram com ele. Posso falar sobre o comercial de TV de Runciter, o bilhete no pacote de cigarros em Baltimore... Posso falar sobre o rótulo do frasco do Elixir de Ubique. Mas não consigo fazer com que tudo isso faça sentido. De todo modo, temos que ir ao hotel em que estão para tentar alcançar Edie Dorn antes que ela definhe e chegue a um fim irreversível. Onde posso pegar um táxi?

– A funerária nos forneceu um carro para usarmos enquanto estivermos aqui – disse Don Denny. – Aquele Pierce-Arrow parado ali. – Ele apontou.

Eles correram na direção do carro.

– Não vamos caber todos aí dentro – Tippy Jackson disse, enquanto Don Denny puxava a porta sólida de ferro e entrava.

– Perguntem a Bliss se podemos usar o Willys-Wright – Joe disse, e ligou o motor do Pierce-Arrow. E, assim que todas as pessoas possíveis entraram no carro, saiu dirigindo na direção da rua principal de Des Moines. O Willys-Wright o seguiu de perto, a buzina soando aflita para avisar Joe de que ele estava lá.

12

Ponha o saboroso Ubik na sua torradeira. Feito apenas com frutas frescas e gordura vegetal pura e saudável, Ubik faz do café da manhã um banquete, põe vida na sua comida! Seguro se manipulado conforme instruções.

Um por um, Joe Chip disse a si mesmo enquanto dirigia o carro grande pelo tráfego, estamos sucumbindo. *Há algo errado com a minha teoria.* Edie, estando com o grupo, deveria ter ficado imune. E eu...

Deveria ter sido eu, pensou. Em algum momento durante meu voo lento de Nova York.

– O que temos que fazer – disse Don Denny – é nos certificar de que qualquer um que se sinta cansado, esse parece ser o primeiro sinal de perigo, informe o resto do grupo. E não permitir que se afaste.

Ele se virou para olhar de frente os que estavam no banco de trás e disse:

– Todos ouviram isso? Assim que qualquer um de vocês se sentir cansado, mesmo que seja só um pouco, informe o senhor Chip ou a mim. – Ele se virou para Joe. – E depois?

– E depois, Joe? – Pat Conley repetiu. – O que fazemos depois? Diga o que temos que fazer, Joe. Estamos ouvindo.

Joe disse a ela:

– Parece-me estranho que seu talento não esteja entrando em jogo. Esta situação me parece feita pra isso. Por que não pode voltar quinze minutos e forçar Edie Dorn a não se afastar? Faça o que fez quando eu a apresentei a Runciter.

– G. G. Ashwood me apresentou ao senhor Runciter – disse Pat.

– Então você não vai fazer nada – disse Joe.

Sammy Mundo deu uma risadinha e disse:

– Elas brigaram ontem à noite, quando estávamos jantando, a senhorita Conley e a senhorita Dorn. A senhorita Conley não gosta dela. É por isso que não quer ajudar.

– Eu gostava de Edie – disse Pat.

– Você tem algum motivo para não fazer uso de seu talento? – Don Denny perguntou. – Joe está certo, é muito estranho e difícil de entender, pelo menos para mim, por que exatamente você não tenta ajudar.

Após uma pausa, Pat disse:

– Meu talento não funciona mais. Desde a explosão da bomba em Luna.

– Por que não disse isso? – perguntou Joe.

Pat disse:

– Não estava a fim de dizer, droga. Por que deveria contar uma informação como essa voluntariamente? Dizer que não posso fazer nada? Fico tentando, e o talento continua não funcionando, nada acontece. Nunca foi assim antes. Tive esse talento praticamente a vida toda.

– Quando foi... – começou Joe.

– Com Runciter – disse Pat. – Em Luna, de imediato. Antes de você me pedir.

– Então você sabia disso há muito tempo – disse Joe.

– Tentei de novo em Nova York, depois que você apareceu, vindo de Zurique, e ficou óbvio que algo terrível tinha acontecido a Wendy. E fiquei tentando agora. Comecei assim que você disse que Edie devia estar morta. Talvez seja porque voltamos a este período de tempo arcaico. Talvez os talentos psiônicos não funcionem em 1939. Mas isso não explicaria o que aconteceu em Luna. A menos que já tivéssemos viajado para cá e não tivéssemos percebido. – Ela começou a refletir, caindo num silêncio introspectivo. Apática, ficou olhando para as ruas de Des Moines, uma expressão amarga no rosto vigoroso e rebelde.

Faz sentido, Joe disse a si mesmo. É claro que seu talento de viajar no tempo não funciona mais. Na verdade, não é 1939, e estamos inteiramente fora do tempo. Isso prova que Al estava certo. A pichação estava certa. Isto é a meia-vida, como as parelhas de versos nos disseram.

No entanto, ele não disse isso aos outros que estavam com ele no carro. Por que dizer a eles que não adianta fazer nada? Eles vão descobrir logo. Os mais espertos, como Denny, provavelmente já entenderam, baseados no que eu disse e na experiência que eles próprios tiveram.

– Isso aborrece mesmo você – Don Denny disse a ele –, o talento dela não funcionar mais.

– Claro – ele concordou com a cabeça. – Esperava que ele pudesse mudar a situação.

– E tem mais – Denny disse, com a intuição aguçada. – Posso concluir pelo seu... – ele gesticulou – ...tom de voz, talvez. De qualquer modo, eu sei. Isso significa algo. É importante. Isso lhe diz algo.

– Sigo direto aqui? – Joe perguntou, reduzindo a velocidade do Pierce-Arrow num cruzamento.

– Vire à direita – disse Tippy Jackson.

Pat disse:

– Você vai ver um prédio de tijolos com um letreiro de neon subindo e descendo. Hotel Meremont é o nome. Lugar horrível. Um banheiro para cada dois quartos, e banheira em vez de chuveiro. E a comida, inacreditável. E a única bebida que servem é uma coisa chamada Nehi.

– Eu gostei da comida – disse Don Denny. – Carne de vaca genuína, e não proteínas sintéticas. Salmão autêntico...

– O dinheiro de vocês está servindo? – Joe perguntou. E ouviu uma lamentação aguda, ecoando para cima e para baixo pela rua atrás dele. – O que significa isso? – Perguntou a Don Denny.

– Não sei – Denny disse, nervoso.

Sammy Mundo disse:

– É uma sirene de polícia. Você não deu seta antes de virar.

– Como eu poderia ter dado? – disse Joe. – Não tem nenhuma alavanca no eixo da direção.

– Você deveria ter feito um sinal com a mão – disse Sammy. A sirene estava muito próxima. Joe, virando a cabeça, viu uma motocicleta parando lado a lado com ele. Reduziu a velocidade, sem ter certeza do que deveria fazer. – Pare no meio-fio – Sammy o aconselhou.

Joe parou o carro no meio-fio.

O guarda desceu da motocicleta e foi andando sem pressa até Joe, um homem jovem, com cara de rato e olhos grandes e severos. Examinou Joe, depois disse:

– Deixe-me ver sua carteira de motorista, senhor.

– Não tenho – disse Joe. – Preencha a multa e nos deixe ir. – Ele conseguia ver o hotel agora. Para Don Denny, disse: – É melhor você ir até lá, você e todos os outros. – O Willys-Wright seguiu na direção do hotel. Don Denny, Pat, Sammy Mundo e Tippy Jackson deixaram o carro. Correram na direção do Willys-Wright, que tinha começado a reduzir e parou em frente ao hotel, deixando Joe enfrentar o guarda sozinho.

O policial disse a Joe:

– Tem alguma identificação?

Joe entregou-lhe a carteira. Com um lápis roxo indelével, o guarda preencheu uma multa, arrancou-a do bloco e passou-a para Joe.

– Falta de sinalização. Sem licença de condutor. A intimação diz onde e quando comparecer. – O guarda fechou o talão de multas com força, entregou a carteira para Joe e desfilou de volta para a motocicleta. Acelerou o motor e saiu zunindo pelo trânsito, sem olhar para trás.

Por alguma razão obscura, Joe passou os olhos na intimação antes de guardá-la no bolso. E leu novamente, devagar. A lápis roxo indelével, com a letra rabiscada e familiar, estava escrito:

Você está correndo muito mais perigo do que
eu imaginava. O que Pat Conley disse é

A mensagem parava ali. No meio de uma frase. Ele se perguntou qual seria a continuação. Havia mais alguma coisa na intimação? Ele a virou, não encontrou nada, voltou para a frente da folha. Mais nada escrito à mão, mas, em tipo ágata diminuto, na parte de baixo da tira de papel, havia a seguinte inscrição:

Procure na Pharmácia do Archer remédios
caseiros de confiança e preparados medicinais
testados e aprovados. A preços econômicos.

Não é muita coisa, refletiu Joe. Mas, ainda assim, não é o que deveria aparecer na parte de baixo de uma multa de trânsito de Des Moines. Aquilo era claramente mais uma manifestação, assim como o que estava escrito à mão acima.

Ele saiu do Pierce-Arrow e entrou na loja mais próxima, um comércio de revistas, doces e produtos de tabacaria.

– Eu poderia usar seu catálogo telefônico? – perguntou ao proprietário, de meia-idade e sorriso largo.

– Nos fundos – o proprietário disse num tom cordial, com uma sacudida do polegar pesado.

Joe encontrou o catálogo e, no interior sombrio da lojinha escura, procurou Pharmácia do Archer. Não a encontrou na lista.

Fechou o catálogo e foi até o proprietário, que, naquele momento, estava ocupado, vendendo wafers Necco para um menino.

– Sabe onde posso encontrar a Pharmácia do Archer? – Joe perguntou.

– Em lugar nenhum – disse o proprietário. – Pelo menos, não mais.

– Por que não?

– Fechou há anos.

– Diga onde ficava. Mesmo assim. Faça um mapa para mim.

– Não precisa de mapa. Posso dizer onde ficava. – O homem grande se inclinou para a frente, apontando para fora da porta de sua loja. – Está vendo aquele poste de barbearia ali? Vá até lá e olhe para o norte. Este é o norte – indicou a direção. – Vai ver um prédio velho com espigões. De cor amarela. Tem alguns apartamentos no alto que ainda estão sendo usados, mas o recinto da loja no andar de baixo, eles abandonaram. Mas você vai conseguir ler a placa: Pharmácia do Archer. Assim, vai saber quando encontrar. O que aconteceu foi que Ed Archer teve câncer de garganta e...

– Obrigado – Joe disse e foi saindo da loja, voltando à luz pálida do meio da tarde. Atravessou a rua rápido, até o poste da barbearia e, nessa posição, olhou direto para o norte.

Pôde ver o prédio alto, amarelo descascado, na periferia do seu campo de visão. Mas algo nele lhe pareceu estranho. Uma luz vaga, uma vibração, como se o prédio fluísse em direção à estabilidade e, depois, recuasse para uma incerteza desprovida de substância. Uma oscilação, com cada uma das fases durando alguns segundos e depois dissolvendo-se em seu oposto, uma variabilidade bastante regular, como se uma pulsação orgânica sustentasse a estrutura. Como se, ele pensou, ela estivesse viva.

Talvez, pensou, eu tenha chegado ao fim. Começou a andar na direção da farmácia abandonada, sem tirar os olhos dela. Observava sua pulsação, observava sua mudança entre os dois estados, e depois, ao se aproximar cada vez mais, discerniu a natureza dos estados alternados. Numa amplitude de maior estabilidade, ela se tornou uma loja de arte e decoração do seu próprio período temporal, de operação homeostática, uma empresa de autoatendimento que vendia os dez mil produtos para o condapto moderno. Ele tinha sido cliente desses pseudocomerciantes controlados por computador e altamente funcionais durante toda a vida adulta.

E, na amplitude da insubstancialidade, ela se resumia a uma farmácia minúscula e anacrônica com decoração rococó. Nos mostruários reduzidos da vitrine, ele viu cintas para hérnia, fileiras de lentes corretivas, um pilão, potes com comprimidos sortidos, um cartaz com letras de forma escritas a mão com a palavra SANGUESSUGAS, garrafas enormes com fecho de vidro que continham uma herança de Pandora de remédios patenteados e placebos... e, pintadas numa tábua plana de madeira acima das vitrines, as palavras PHARMACIA DO ARCHER. Nenhum sinal sequer de uma drogaria vazia, abandonada e fechada. Seu estágio de 1939 tinha sido, de alguma forma, excluído. Então, ele pensou, ao entrar nela, ou eu retrocedo ainda mais, ou volto de modo aproximado ao meu próprio tempo. E – evidentemente – o que preciso é da reversão adicional, a fase pré-1939.

No momento presente, ele parou diante dela, experimentando fisicamente a atração da maré das amplitudes. Sentiu ser puxado para trás, depois para a frente, e novamente para trás. Os pedestres passavam com passos pesados, sem tomar conhecimento. Obviamente, ninguém via o que ele via: não percebiam nem a Pharmácia do Archer, nem a loja de arte e decoração de 1992. Isso era o que o deixava mais perplexo.

Quando a estrutura passou diretamente para a sua fase antiga, ele deu um passo à frente, atravessou o limiar. E entrou na Pharmácia do Archer.

À direita, um longo balcão com tampo de mármore. Caixas nas prateleiras, de cores desbotadas. A loja toda tinha um aspecto sombrio, não apenas com relação à falta de luz, mas a uma coloração mimética, como se tivesse sido construída para se misturar, para fundir-se às sombras, para ficar sempre opaca. Ela possuía um aspecto denso, pesado. Puxava Joe para baixo, pesando nele como algo instalado de forma permanente em suas costas. E havia parado de oscilar. Pelo menos para ele, agora que tinha entrado.

Ele se perguntou se havia feito a escolha certa. Agora, tarde demais, considerou a alternativa, o que ela poderia ter significado. Um retorno – possivelmente – ao seu próprio tempo. Para fora deste mundo degenerado e sua capacidade declinante de ligação com o tempo – para fora, talvez, para sempre. Bem, pensou, é assim que vai ser. Andou a esmo pela drogaria, observando o metal e a madeira, claramente nogueira... Enfim, chegou à janela do balcão de receitas nos fundos.

Um jovem delgado, usando um terno cinza de muitos botões com colete, apareceu e o encarou em silêncio. Por um longo tempo, Joe e o rapaz ficaram olhando um para o outro, sem falar. O único som saía de um relógio de parede com algarismos romanos na face redonda. O pêndulo fazia tique-taque num movimento inexorável. À maneira dos relógios. Em todo lugar.

Joe disse:

– Eu queria um pote de Ubik.

– O unguento? – Perguntou o boticário. Seus lábios não pareciam sincronizar direito com as palavras. Primeiro Joe viu a boca do homem abrir, os lábios se moverem e, em seguida, após um intervalo mensurável, ouviu as palavras.

– É unguento? – disse Joe. – Achei que fosse para uso interno.

O boticário não respondeu por um intervalo. Como se um abismo separasse os dois, uma era. Então, finalmente, sua boca abriu de novo, seus lábios voltaram a se mover. E, no momento presente, Joe ouviu palavras.

– Ubik passou por muitas alterações à medida que o fabricante o aperfeiçoava. O senhor pode estar familiarizado com o antigo Ubik, não com o novo. – O boticário virou-se para o lado, e seu movimento tinha um aspecto de *stop-action*. Ele deslizava numa espécie de passo de dança lento, uniforme, um ritmo esteticamente agradável, mas emocionalmente assustador. – Tivemos muitas dificuldades para obter o Ubik nos últimos tempos – ele disse, enquanto deslizava de volta. Com a mão direita, segurava uma lata achatada e chumbada, que colocou diante de Joe, sobre o balcão de receitas. – Este vem em forma de pó ao qual se adiciona alcatrão de hulha. O alcatrão de hulha vem separado. Posso fornecê-lo ao senhor a um custo muito baixo. O pó de Ubik, no entanto, é custoso. Quarenta dólares.

– O que ele contém? – Joe perguntou. O preço o desanimou.

– Isso é segredo do fabricante.

Joe pegou a lata selada e ergueu-a contra a luz.

– Tudo bem se eu ler o rótulo?

– Claro.

À luz fraca que vinha da rua, ele finalmente conseguiu decifrar o que estava impresso no rótulo da lata. Era uma continuação da mensagem escrita à mão na multa de trânsito, recomeçando do ponto exato em que a letra de Runciter havia parado de forma abrupta.

absolutamente falso. Ela não – repito, não – tentou usar seu talento logo após a explosão da bomba. Ela não tentou recuperar Wendy Wright nem Al Hammond nem Edie Dorn. Ela está mentindo para você, Joe, e isso me faz repensar toda a situação. Eu o informarei assim que eu chegar a uma conclusão. Enquanto isso, tenha muito cuidado. Aliás: o pó de Ubik possui valor de cura universal se as instruções de uso forem seguidas de modo rigoroso e consciente.

– Posso pagar com cheque? – Joe perguntou ao boticário. – Não tenho quarenta dólares comigo e preciso urgentemente do Ubik. É literalmente uma questão suspensa entre a vida e a morte. – Ele pôs a mão no bolso da jaqueta para pegar o talão de cheques.

– O senhor não é de Des Moines, é? – perguntou o boticário. – Dá para saber pelo seu sotaque. Não, eu teria que conhecê-lo para aceitar um cheque de valor tão alto. Tivemos uma quantidade enorme de cheques sem fundo nas últimas semanas, todos de pessoas de fora da cidade.

– Cartão de crédito, então?

O boticário disse:

– O que é cartão de crédito?

Joe colocou a lata de Ubik no balcão, virou e saiu da drogaria sem dizer nada e foi até a calçada. Atravessou a rua, seguindo na direção do hotel, então parou para olhar para trás.

Viu apenas um prédio amarelo dilapidado, cortinas nas janelas de cima, o térreo fechado com tábuas e abandonado. Pelos espaços entre as tábuas, ele viu uma escuridão escancarada, a cavidade de uma janela quebrada. Sem vida.

Então é isso, ele percebeu. A chance de comprar uma lata de Ubik já era. Mesmo se eu encontrasse quarenta dólares na rua. Mas, pensou, consegui o resto do aviso de Runciter. Foi o máximo que consegui. Pode até não ser verdade. Pode ser apenas uma opinião deturpada e corrompida de um cérebro agonizante. Ou de um cérebro totalmente morto – como no caso do comercial da TV. Meu Deus, ele disse a si mesmo, aterrorizado. E se for verdade?

Pessoas por todo lado na calçada olhavam absortas para o céu. Ao notá-las, Joe também olhou para cima. Protegendo os olhos contra os raios oblíquos do sol, percebeu um ponto expelindo traços brancos de fumaça: um monoplano voando a uma altura considerável, traçando letras com agilidade. Enquanto ele e os outros pedestres olhavam, as tiras de fumaça que já começavam a se dissipar escreviam uma mensagem.

ÂNIMO, JOE!

É fácil falar, Joe disse a si mesmo. Muito fácil colocar em forma de palavras.

Curvado, com uma tristeza inquietante – e as primeiras leves insinuações do terror que retornava –, ele se afastou na direção do Hotel Meremont.

* * *

Don Denny o encontrou no saguão rústico, de pé-direito alto e carpete carmesim.

– Nós a encontramos. Acabou tudo... para ela, pelo menos. E não foi agradável, nem um pouco agradável. Agora, Fred Zafsky sumiu. Achei que ele estivesse no outro carro, e eles achavam que tivesse ido com a gente. Parece que não entrou em nenhum dos dois carros. Deve estar lá na funerária.

– Está acontecendo mais rápido agora – disse Joe. Ele se perguntou que diferença o Ubik – oscilando na direção deles repetidas vezes, de inúmeras maneiras diferentes, mas sempre fora de alcance – teria feito. Acho que nunca saberemos, concluiu. – Dá para pedir uma bebida aqui? – perguntou a Don Denny. – E dinheiro? O meu não vale nada.

– A funerária está pagando tudo. Instruções de Runciter a eles.

– A conta do hotel também? – Pareceu estranho. Como aquilo tinha sido conduzido? – Quero que você veja esta intimação – disse a Don Denny. – Enquanto não tem mais ninguém com a gente. – Ele passou o papel para Denny. – Tenho o resto da mensagem. É o que eu estava fazendo: obtendo isto.

Denny leu a intimação, depois releu. Então, lentamente, devolveu-a a Joe.

– Runciter acha que Pat Conley está mentindo – disse.

– Sim – disse Joe.

– Você percebe o que isso significaria? – Sua voz intensificou-se de repente. – Significa que ela poderia ter anulado tudo isso. Tudo que nos aconteceu, começando pela morte de Runciter.

Joe disse:

– Poderia significar mais que isso.

Encarando-o, Denny disse:

– Você está certo. Sim, você está absolutamente certo. – Ele pareceu assustado e, depois, extremamente atento. A consciência brilhava em seu rosto. De um tipo pesaroso e aflito.

– Não me sinto particularmente a fim de pensar nisso – disse Joe. – Não estou gostando de nada que tenha a ver com isso. É pior.

Muito pior do que eu pensava antes, do que Al Hammond acreditava, por exemplo. Que já era bem ruim.

– Mas desta vez podemos estar certos – disse Denny.

– Desde que tudo começou a acontecer, venho tentando entender o porquê. Tinha certeza de que se soubesse por quê... – Mas Al nunca pensou nisso, disse a si mesmo. Nós dois deixamos escapar a razão. Por um bom motivo.

Denny disse:

– Não conte nada aos outros. Isso pode não ser verdade. E mesmo se for, saber não vai ajudá-los.

– Saber o quê? – Pat Conley perguntou, atrás deles. – O que não vai ajudá-los? – Ela ficou diante deles, os olhos negros, saturados de cor, calmos e sagazes. Serenamente calmos. – Uma pena o que houve com Edie Dorn – disse ela. – E Fred Zafsky. Acho que ele já era, também. Com isso, não sobram muitos de nós, não? Me pergunto quem será o próximo. – Ela parecia imperturbável, totalmente sob controle. – Tippy está deitada no quarto dela. Não disse que estava cansada, mas acho que podemos supor que esteja. Não concordam?

Após uma pausa, Don Denny disse:

– Sim, eu concordo.

– Como se saiu com a sua multa, Joe? – Ela estendeu a mão. – Posso ver?

Ele passou o papel a ela. O momento, ele pensou, chegou. Tudo é agora. Recuado para o presente. Para dentro de um instante.

– Como é que o guarda sabia o meu nome? – Pat perguntou, depois de olhar o papel. Ela ergueu os olhos, olhou atentamente para Joe e depois para Don Denny. – Por que tem algo sobre mim aqui?

Ela não reconheceu a letra, Joe disse a si mesmo. Porque não conhece. Como nós conhecemos.

– Runciter – ele disse. – Você está fazendo isso, não está, Pat? É você, seu talento. Estamos aqui por sua causa.

– E você está nos matando – disse Don Denny. – Um por um. Mas por quê? – Para Joe, ele disse: – Que motivo ela poderia ter? Ela sequer nos conhece, na verdade.

– Foi por isso que veio para a Runciter e Associados? – Joe perguntou a ela. Ele tentou, mas não conseguiu, manter a voz firme. Ela tremia em seus ouvidos, e ele sentiu um desprezo abrupto por si mesmo. – G. G. Ashwood a descobriu e a trouxe. Ele estava trabalhando para Hollis, é isso? Foi isso o que realmente aconteceu com a gente, *não a detonação da bomba, mas você?*

Pat sorriu.

E o saguão do hotel explodiu na cara de Joe Chip.

13

Erga os braços e fique mais curvilínea na mesma hora! O novo sutiã Ubik extrassuave e o sutiã especial Ubik longline significam "Erga os braços e fique mais curvilínea na mesma hora!" E oferecem sustentação firme e relaxante o dia todo, se ajustados conforme as instruções.

A escuridão zumbia à sua volta, aderindo a ele como lã quente, úmida e coagulada. O terror que sentiu quando a intuição se fundiu à escuridão tornou-se inteiro e real. Não fui cuidadoso, deu-se conta. Não fiz o que Runciter me disse para fazer. Eu a deixei ver a intimação.

– Qual o problema, Joe? – A voz de Don Denny, carregada de grande preocupação. – O que há de errado?

– Estou bem. – Ele conseguia ver um pouco agora. A escuridão havia formado linhas horizontais cinza, como se começasse a se decompor. – Só me sinto cansado – ele disse e percebeu como seu corpo havia ficado realmente cansado. Não conseguia se lembrar de uma fadiga assim. Nunca antes em sua vida.

Don Denny disse:

– Deixa eu ajudá-lo a ir até uma cadeira. – Joe sentiu a mão dele apertar seu ombro. Sentiu que Denny o guiava, e isso lhe deu medo, essa necessidade de ser conduzido. Afastou-se.

– Estou bem – repetiu. A silhueta de Denny havia começado a se formar perto dele. Concentrou-se nela, depois distinguiu mais uma vez o saguão da virada do século com seu lustre ornado de cristal e sua luz amarela complicada. – Deixa eu sentar – ele disse e, tateando, encontrou uma cadeira com assento de vime.

Para Pat, Don Denny disse num tom severo:

– O que você fez com ele?

– Ela não fez nada comigo – Joe disse, tentando firmar a voz. Mas ela saiu estridente, com traços artificiais. Como se estivesse acelerada, pensou. Aguda. Não minha própria voz.

– Isso mesmo – disse Pat. – Não fiz nada com ele, nem com ninguém.

Joe disse:

– Quero subir e me deitar.

– Vou arrumar um quarto para você – Don Denny disse, nervoso. Ele pairava sobre Joe, aparecendo e desaparecendo em seguida, com o fluxo das luzes do saguão. A luz enfraqueceu, tornando-se vermelha e opaca, depois ficou mais forte, e enfraqueceu mais uma vez. – Você fica aí nessa cadeira, Joe. Volto logo. – Denny saiu correndo para a recepção. Pat permaneceu.

– Tem alguma coisa que eu possa fazer por você? – ela perguntou, num tom agradável.

– Não – ele disse. Era preciso um esforço enorme para dizer a palavra em voz alta. Ela se prendeu à caverna interior alojada em seu coração, um vazio que aumentava a cada segundo. – Um cigarro, talvez – ele disse, e dizer a frase completa o exauriu, ele sentia seu coração trabalhar. A pulsação difícil aumentava seu fardo, era o peso a mais que o comprimia, uma mão imensa o apertando. – Você tem? – ele disse, e conseguiu erguer o olhar para ela através da luz vermelha enfumaçada. O brilho trêmulo e vacilante de uma realidade inconsistente.

– Desculpe – disse Pat. – Não tenho.

Joe perguntou:

– Qual é... o meu problema?

– Parada cardíaca, talvez – disse Pat.

– Você acha que tem um médico no hotel? – ele conseguiu dizer.

– Eu duvido.

– Não vai ver? Não vai procurar?

Pat disse:

– Acho que é apenas psicossomático. Você não está doente de verdade. Vai melhorar.

Ao voltar, Don Denny disse:

– Consegui um quarto para você, Joe. No segundo andar, quarto 203. – Ele fez uma pausa, e Joe sentiu seu exame, a preocupação do seu olhar. – Joe, você está horrível. Debilitado. Como se estivesse prestes a se desmanchar. Meu Deus, Joe, você sabe o que está parecendo? Está parecendo Edie Dorn, quando a encontramos.

– Ah, não está nada assim – disse Pat. – Edie Dorn está morta. Joe não está morto. Está, Joe?

Joe disse:

– Eu quero subir. Quero me deitar. – De algum modo, ficou em pé. O coração batia surdo, parecia hesitar, não bater por um momento, depois retomava, martelando feito uma barra de ferro na vertical chocando-se contra o cimento. Cada pulsação fazia o corpo todo estremecer. – Onde fica o elevador?

– Vou levá-lo até lá – disse Denny, mais uma vez, a mão segurando o ombro de Joe. – Parece uma pluma. O que está acontecendo com você, Joe? Pode dizer? Você sabe? Tente me dizer.

– Ele não sabe – disse Pat.

– Acho que ele tinha que ver um médico – disse Denny. – Imediatamente.

– Não – disse Joe. Deitar vai me ajudar, disse a si mesmo. Sentiu uma atração oceânica, uma maré imensa puxando-o. Ela o impulsionava a ir se deitar. Compelia-o num único sentido, a se estender, deitado, sozinho, no seu quarto de hotel no segundo andar. Onde ninguém poderia vê-lo. Tenho de ir embora, disse a si mesmo. Tenho de ficar sozinho. Por quê? perguntou-se. Ele não sabia. Aquilo o invadiu como um instinto, não racional, impossível de entender ou explicar.

– Vou chamar um médico – disse Denny. – Pat, você fica aqui com ele. Não o perca de vista. Volto o mais rápido possível. – Ele saiu. Joe viu, vagamente, a silhueta se afastar. Denny parecia encolher, murchar. E depois desapareceu completamente. Patricia Conley permaneceu, mas isso não o fez se sentir menos sozinho. Seu isolamento, apesar da presença física dela, havia se tornado absoluto.

– Bem, Joe – ela disse. – O que você quer? O que posso fazer por você? É só falar.

– O elevador.

– Você quer que eu te guie até o elevador? Será um prazer. – Ela foi andando, e, da melhor forma que pôde, ele seguiu. Parecia que ela andava com uma rapidez fora do comum. Ela não esperava, e não olhava para trás. Ele achou quase impossível mantê-la no campo de visão. É a minha imaginação, perguntou-se, que ela esteja andando tão rápido? Devo ser eu, estou desacelerado, comprimido pela gravidade. Seu mundo havia assumido o atributo da massa pura. Ele se percebia por meio de um único modo: o de um objeto sujeito à pressão do peso. Uma qualidade, um atributo. E uma experiência. Inércia.

– Não tão depressa – ele disse. Não conseguia vê-la agora. Ela havia saído rapidamente do seu campo de visão. Ali parado, incapaz de se mover mais, ele ofegava. Sentiu o rosto gotejar e os olhos arderem com a umidade salgada. – Espera – ele disse.

Pat reapareceu. Ele distinguiu seu rosto quando ela se curvou para examiná-lo. Sua expressão, perfeita e tranquila. O desinteresse de sua atenção, sua imparcialidade científica. – Quer que eu enxugue seu rosto? – ela perguntou. Pegou um lenço, pequeno, delicado e com rendas nas bordas. Ela sorriu, o mesmo sorriso de antes.

– Só me ponha no elevador. – Ele impeliu o corpo para se mover adiante. Um passo. Dois. Agora conseguia avistar o elevador, com algumas pessoas esperando. O mostrador antigo, com o ponteiro acima das portas de correr. O ponteiro, a agulha barroca, oscilava entre o três e o quatro. Recuou para a esquerda, atingindo o três, depois oscilou entre o três e o dois.

– Vai chegar num segundo – disse Pat. Ela tirou os cigarros e o isqueiro da bolsa, acendeu, exalou trilhas de fumaça cinza das narinas. – É um elevador de tipo muito antigo – disse a ele, os braços cruzados calmamente. – Sabe o que acho? Acho que é uma daquelas velhas gaiolas abertas de ferro. Você tem medo?

O ponteiro havia passado do dois, parou acima do um e cravou firme embaixo. As portas deslizaram para o lado.

Joe viu as grades da porta, as treliças. Viu o ascensorista uniformizado, sentado num banquinho, a mão no controle giratório.

– Sobe – disse o ascensorista. – Vá para o fundo, por favor.

– Não vou entrar – disse Joe.

– Por que não? – disse Pat. – Você acha que o cabo vai quebrar? É isso que o assusta? Dá pra ver que está assustado.

– Isso é o que Al viu.

– Bom, Joe – disse Pat –, o único outro modo de subir para o seu quarto é pela escada. E você não vai conseguir subir escadas, não no seu estado.

– Vou subir pela escada. – Ele se afastou, procurando localizar a escadaria. Não consigo ver!, disse a si mesmo. Não consigo encontrá-la! O peso sobre ele esmagava os pulmões, tornando a respiração difícil e dolorosa. Teve que parar, concentrando-se para absorver o ar – só isso. Talvez seja um ataque cardíaco, pensou. Se for, não posso subir a escada. Mas o desejo dentro dele havia aumentado ainda mais, a necessidade irresistível de ficar só. Trancado num quarto vazio, inteiramente sem testemunhas, silencioso e inerte. Estendido, sem precisar falar, sem precisar se mover. Sem que precise lidar com ninguém nem com problema algum. E ninguém sequer saberá onde estou, disse a si mesmo. Isso parecia, inexplicavelmente, muito importante. Ele queria ficar desconhecido e invisível, viver sem ser visto. Especialmente Pat, pensou. Não ela, ela não pode ficar perto de mim.

– Chegamos – disse Pat. Ela o guiou, virando-o de leve para a esquerda. – Bem na sua frente. É só segurar o corrimão e subir, tum-tum, até a cama. Está vendo? – Ela subiu com agilidade, dançando e vibrando, equilibrando-se, depois passou rápido para o próximo degrau. – Você consegue fazer isso?

– Eu... não quero que você. Venha comigo.

– Ah, querido. – Ela deu uma risadinha magoada, de brincadeira. Seus olhos negros brilhavam. – Está com medo que me aproveite do seu estado? Que faça alguma coisa com você, algo ruim?

– Não. – Balançou a cabeça. – Eu... só quero. Ficar. Sozinho. – Pegou o corrimão e conseguiu puxar o corpo para cima do primeiro degrau. Parou ali e olhou fixamente para cima, tentando discernir o patamar. Tentando determinar a distância, quantos degraus faltavam.

– O senhor Denny me pediu para ficar contigo. Posso ler pra você ou pegar coisas. Posso cuidar de você.

Ele subiu mais um degrau. – Sozinho – disse ofegante.

– Posso ver você subir? Gostaria de ver quanto tempo vai levar. Supondo que consiga.

– Vou conseguir. – Colocou o pé no degrau seguinte, segurou o corrimão e se ergueu. O coração inchado estrangulou a garganta. Ele fechou os olhos e respirou com chiado o ar sufocante.

– Será – disse Pat – que foi isso o que Wendy fez? Ela foi a primeira, certo?

Joe disse, ofegante:

– Eu era. Apaixonado por... Ela.

– Ah, eu sei. G. G. Ashwood me contou. Ele leu sua mente. G.G. e eu ficamos muito amigos. Passamos muito tempo juntos. Pode-se dizer que tivemos um caso. É, é possível dizer isso.

– Nossa teoria – disse Joe – estava certa. – Ele respirou mais fundo. – Um – ele conseguiu dizer. Subiu mais um degrau e depois, com um esforço tremendo, mais outro. – Que você e G. G. Planejaram com Ray Hollis. Para se infiltrarem.

– Certíssimo – consentiu Pat.

– Nossos melhores inerciais. E Runciter. Eliminar todos nós. – Ele subiu mais um degrau. – Não estamos em meia-vida. Não estamos...

– Ah, você pode *morrer* – disse Pat. – Você não está morto. Quer dizer, não você, em particular. Mas vocês estão morrendo um por um. Mas pra que falar sobre isso? Pra que voltar a esse assunto? Você já disse tudo pouco tempo atrás e, francamente, você me entedia, voltando a falar nisso tantas vezes. Você realmente é uma pessoa muito chata e pedante, Joe. Quase tão chata quanto Wendy Wright. Vocês dois teriam formado um ótimo casal.

– Foi por isso que Wendy morreu primeiro. Não porque ela tinha se separado. Do grupo. Mas porque... – Ele se encolheu quando a dor no coração latejou com violência. Havia tentado subir mais um degrau, mas desta vez não conseguiu. Pisou em falso e se viu sentado, encolhido como... sim, pensou, como Wendy dentro do armário: encolhido assim. Estendeu a mão e segurou a manga do casaco. Puxou.

O tecido rasgou. Ressecado e exaurido, o material rompeu-se feito papel pardo barato. Não tinha nenhuma força... como algo moldado por vespas. Então, não havia nenhuma dúvida. Ele logo deixaria um rastro, pedaços de pano degenerado. Uma trilha de fragmentos que ia dar num quarto de hotel e no isolamento ansiado. Seus últimos atos forçados, governados pelo tropismo. Uma orientação que o impulsionava na direção da morte, da deterioração e da inexistência. Uma alquimia fúnebre o controlava, culminando no túmulo.

Ele subiu mais um degrau.

Vou conseguir chegar, percebeu. A força que me estimula está se alimentando do meu corpo. Foi por isso que Wendy, Al e Edie – e, sem dúvida, Zafsky a esta altura – sofreram deterioração física ao morrer, deixando apenas uma concha sem peso, descartada como uma casca, que não contém nada, nenhuma essência, nenhum sumo, nenhuma densidade substancial. A força impelia-se contra o peso de muitas gravidades, e este é o custo, o esgotamento do corpo que definha. Mas o corpo, como fonte de suprimentos, será suficiente para me levar até lá em cima. Uma necessidade biológica está em ação, e provavelmente, a esta altura, nem mesmo Pat, que a acionou, será capaz de anulá-la. Ele se perguntou como ela estaria se sentindo, vendo-o subir. Ela o admirava? Sentia desprezo? Ergueu a cabeça, procurando por ela. Ele a distinguiu, o rosto vital com seus diversos matizes. Apenas interesse ali. Nenhuma maldade. Uma expressão neutra. Ele não sentiu surpresa. Pat não havia feito nenhum gesto para impedi-lo, e nenhum gesto para ajudá-lo. O que pareceu certo, até mesmo para ele.

– Sente-se um pouco melhor? – ela perguntou.

– Não – ele disse. E, na metade da subida, alcançou com ímpeto o degrau seguinte.

– Você parece diferente. Não tão perturbado.

– Porque vou conseguir. Sei disso.

– Dá pra *mim* ver que não está longe – Pat concordou.

– Eu – ele corrigiu.

– Você é incrível. Tão banal, tão pequeno. Até nos espasmos de morte você... – Ela se corrigiu, maliciosa e sagaz. – Ou no que provavelmente lhe parecem ser, subjetivamente, espasmos de morte. Eu não deveria ter usado esse termo, espasmos de morte. Você pode ficar deprimido. Tente ser otimista. Está bem?

– Só me diga. Quantos degraus. Faltam.

– Seis. – Ela se afastou com suavidade, deslizando para cima sem fazer barulho, sem esforço. – Não, desculpe. Dez. Ou seriam nove? Acho que são nove.

Mais uma vez, ele subiu um degrau. Depois o próximo. E o próximo. Não disse nada. Nem tentava enxergar. Seguindo a dureza da superfície na qual se apoiava, arrastou-se feito uma lesma de um degrau a outro, sentindo uma espécie de habilidade desenvolver-se nele, uma capacidade de saber exatamente de que modo se empenhar, como usar seu poder quase falido.

– Quase lá – Pat disse animada, acima dele. – O que tem a dizer, Joe? Algum comentário sobre a sua grande escalada? A maior escalada na história da humanidade. Não, não é verdade. Wendy, Al, Edie e Zafsky já a fizeram antes de você. Mas esta é a única a que pude assistir.

Joe disse:

– Por que eu?

– Quero observar você, Joe, por causa da sua conspiraçãozinha vulgar lá em Zurique. De combinar para que Wendy Wright passasse a noite com você no seu quarto de hotel. Só que esta noite será diferente. Você vai estar sozinho.

– Naquela noite também – disse Joe. – Eu estava. Sozinho. – Mais um degrau. Tossiu convulsivamente e, em vão, o que lhe restava de capacidade foi expelido, em gotas lançadas pelo rosto manchado.

– Ela estava lá. Não na sua cama, mas em algum lugar do quarto. Só que você ficou dormindo. – Pat riu.

– Estou tentando – disse Joe. – Não tossir. – Ele conseguiu subir mais dois degraus e soube que estava quase conseguindo chegar ao topo. Há quanto tempo estava na escada? perguntou-se. Não havia como saber.

Descobriu então, em choque, que estava frio, além de exausto. Quando isso havia acontecido? ele se perguntou. Em algum momento no passado. O frio infiltrou-se de forma tão gradual que ele não havia notado antes. Ai, Deus, disse a si mesmo, e tremeu freneticamente. Seus ossos pareciam quase estremecer. Pior do que em Luna, muito pior. Pior, também, que o resfriamento que pairou no quarto de hotel em Zurique. Aqueles tinham sido os precursores.

O metabolismo, refletiu, é um processo de queima, uma fornalha ativa. Quando para de funcionar, a vida acaba. Devem ter se enganado quanto ao inferno, disse a si mesmo. O inferno é frio, tudo lá é frio. O corpo representa peso e calor. Agora, o peso é uma força à qual estou sucumbindo, e o calor, o meu calor, está me escapando. E, a não ser que eu renasça, ele nunca voltará. Este é o destino do universo. Então, pelo menos, não estarei sozinho.

Mas, se sentia sozinho. Estou sendo dominado rápido demais, percebeu. A hora certa ainda não chegou. Alguma coisa apressou o processo – algo conivente o acelerou, por maldade e curiosidade. Uma ação polimórfica e perversa que gosta de assistir. Uma entidade infantil e atrasada que sente satisfação com o que está acontecendo. Ela me esmagou como um inseto de patas curvadas, disse a si mesmo. Um simples inseto que não faz nada além de se prender à terra. Que não pode nunca voar nem escapar. Pode apenas descer, passo a passo, rumo ao delirante e corrompido. Para o mundo da tumba, habitado por uma entidade perversa, cercada por sua própria imundície. A coisa a que chamamos Pat.

– Está com a chave? – Pat perguntou. – Do seu quarto? Pense como se sentiria péssimo ao chegar ao segundo andar e descobrir que não pode entrar no quarto porque perdeu a chave.

– Estou com ela. – Tateou os bolsos.

O casaco se rasgou, esfarrapado e em retalhos, caindo dele e, do bolso de cima, a chave escorregou. Foi parar dois degraus abaixo dele. Fora de alcance.

Pat disse, num tom enérgico:

– Eu pego pra você. – Passou bruscamente por ele e apanhou a chave, ergueu-a à luz e a examinou, depois a colocou no alto do lance de escadas, sobre o corrimão.

– Bem aqui em cima, onde pode alcançá-la quando terminar a subida. Sua recompensa. O quarto, acho, fica à esquerda, umas quatro portas à frente. Você vai ter que ir devagar, mas vai ser bem mais fácil assim que tiver saído da escada. Assim que não tiver de subir.

– Consigo ver – ele disse. – A chave. No alto. Consigo ver o alto da escada. – Agarrando o corrimão com os dois braços, ele se arrastou para cima, subiu três degraus em um único e agonizante esforço. Sentiu um esgotamento. O peso sobre ele aumentou, o frio aumentou, e a sua própria substancialidade definhou. Mas...

Chegou ao topo.

– Adeus, Joe – disse Pat. Ela pairou sobre ele e se ajoelhou de leve para que ele pudesse ver seu rosto. – Você não quer que Don Denny apareça de repente, quer? Um médico não vai ser capaz de ajudar. Então, vou dizer a ele que pedi pro pessoal do hotel chamar um táxi, e que você está a caminho de um hospital do outro lado da cidade. Assim, você não será incomodado. Pode ficar inteiramente sozinho. Concorda?

– Sim.

– Aqui está a chave. – Ela enfiou a coisa fria de metal na mão dele e fechou os dedos em volta. – Mantenha a cabeça erguida, como dizem aqui em 1939. E não aceite gato por lebre. Eles dizem isso também. – Ela foi saindo, então, ficando de pé. Por um instante, ficou ali, examinando-o, depois saiu correndo pelo corredor até o elevador. Ele a viu apertar o botão, esperar. Viu as portas se abrirem, e Pat desaparecer.

Agarrando a chave, ele se ergueu aos trancos, curvado. Equilibrou-se contra a parede do outro lado do corredor, depois virou para a esquerda e começou a andar passo a passo, ainda apoiando-se na parede. Escuro, pensou. Não está iluminado. Fechou os olhos com força, abriu, pestanejou. O suor do rosto ainda o cegava, ainda ardia. Ele não conseguia saber se o corredor estava propriamente escuro ou se seu poder de visão estava enfraquecendo.

Ao chegar à primeira porta, seu andar tinha se reduzido ao engatinhar. Inclinou a cabeça para cima, procurou o número.

Quando encontrou a porta certa, teve de ficar em pé, escorado, para inserir a chave na fechadura. O esforço acabou com ele. A chave ainda na mão, ele caiu. A cabeça bateu na porta, e ele se derramou de volta no carpete tomado pela poeira, sentindo o odor da velhice, do desgaste e da morte frígida. Não consigo entrar no quarto, percebeu. Não consigo mais me levantar.

Mas precisava. Ali fora, poderia ser visto.

Agarrando a maçaneta com as duas mãos, deu um puxão e ficou de pé mais uma vez. Apoiou o peso inteiramente de encontro à porta enquanto remexia a chave, trêmulo, na direção da maçaneta e da fechadura. Desse modo, uma vez que virasse a chave, a porta se abriria e ele estaria dentro. E depois, pensou, se conseguir fechar a porta, se conseguir chegar à cama, estará terminado.

A fechadura rangeu. A peça de metal se deslocou. A porta abriu, e ele foi lançado para a frente, braços estendidos. O chão cresceu em sua direção, e ele distinguiu as formas no carpete – espirais, desenhos e elementos florais em vermelho e dourado –, mas ásperas e embaçadas pelo desgaste. As cores tinham ficado turvas, e ao bater no chão, sentindo pouca, se alguma, dor, pensou: É muito velho, este quarto. Quando este lugar foi construído, provavelmente se usavam mesmo elevadores abertos de grades de ferro. Então, eu vi o elevador de verdade, disse a si mesmo, o autêntico, o original.

Ele se deitou por algum tempo, e depois se mexeu, como se tivesse sido chamado, convocado a se mover. Ergueu-se até ficar de joelhos, estendeu as mãos diante de si... Minhas mãos, pensou, meu Deus. Mãos de pergaminho, amarelas e nodosas, como a bunda de um peru cozido, ressecado. Pele eriçada, diferente da pele humana. Protopenas, como seu eu tivesse regredido milhões de anos para algo que voa e plana, usando a pele como vela.

Abriu os olhos e procurou a cama. Esforçou-se para identificá-la. A janela volumosa na parede oposta, deixando entrar a luz cinza pela trama de cortinas. Uma penteadeira, feia, com pernas delgadas. Depois a cama, com saliências de metal rematando as laterais das grades, inclinada e irregular, como se anos de uso tivessem entortado as grades, empenado a cabeceira de madeira. Quero deitar nela assim mesmo, disse. Estendeu-se em sua direção, arrastando-se e deslocando-se adiante no quarto.

E viu, então, um vulto sentado numa cadeira estofada, de frente para ele. Um espectador que não havia feito som algum, mas que agora se levantava e ia rapidamente na direção dele.

Glen Runciter.

– Não pude ajudá-lo a subir a escada – disse Runciter, o rosto grave, duro. – Ela teria me visto. Na verdade, fiquei com medo que ela viesse até o quarto com você, e aí teríamos problemas porque ela... – Parou de repente, curvou-se e ergueu Joe, deixando-o de pé, como se Joe não tivesse mais nenhum peso dentro de si, nenhum componente material restante. – Falamos disso depois. Aqui. – Ele carregou Joe debaixo do braço até o outro lado do quarto, não para a cama, mas para a cadeira estofada na qual ele mesmo estivera sentado. – Pode aguentar mais alguns segundos? Quero fechar e trancar a porta. Caso ela mude de ideia.

– Sim – disse Joe.

Runciter chegou à porta com três passos largos, bateu-a e passou a tranca, e voltou de imediato a Joe. Abriu uma gaveta da penteadeira, retirou com pressa uma lata de spray com balões e letras de cores vivas que exaltavam a superfície brilhante.

– Ubik – disse Runciter, agitando a lata vigorosamente. Depois, ficou diante de Joe, mirando nele. – Não me agradeça por isso. – Disse, e borrifou demoradamente à esquerda e à direita. O ar clareou de leve e tremeluziu, como se partículas de luz brilhantes tivessem sido liberadas, como se a energia do sol cintilasse dentro daquele quarto de hotel antigo e gasto. – Sente-se melhor? Deveria funcionar em você de imediato. Você já deveria estar tendo uma reação.

Encarou Joe com ansiedade.

14

É preciso mais que um saco para preservar o sabor da comida. É preciso a embalagem plástica Ubik – na verdade, quatro camadas em uma. Mantém o frescor, expulsa o ar e a umidade. Veja esta simulação.

– Tem um cigarro? – Joe disse. Sua voz tremeu, mas não de cansaço. Nem de frio. Os dois haviam passado. Estou tenso, disse a si mesmo. Mas não estou morrendo. O processo foi interrompido pelo spray de Ubik.

Como Runciter disse que aconteceria, lembrou, no comercial gravado. Se eu o encontrasse, ficaria bem. Runciter prometeu. Mas, pensou melancólico, demorou muito tempo. E quase não cheguei a ele.

– Sem filtro – disse Runciter. – Este período atrasado e desprezível não tem filtros. – Segurou um maço de Camel na direção de Joe. – Eu acendo pra você. – Riscou um fósforo e estendeu.

– É novo – disse Joe.

– Ah, pode ter certeza. Nossa, acabei de comprar na tabacaria lá embaixo. Fomos muito fundo nisso. Muito além do estágio do leite coalhado e dos cigarros velhos. – Ele deu um sorriso malicioso e rígido, os olhos firmes e gélidos não refletiam nenhuma luz. – Para dentro, não para fora. Há uma diferença. – Acendeu um cigarro também. Recostou-se e fumou em silêncio, a expressão ainda séria. E, Joe concluiu, cansado. Mas não o tipo de cansaço que ele mesmo havia sentido.

Joe disse:

– Pode ajudar o resto do grupo?

– Tenho exatamente uma lata deste Ubik. A maior parte dela, tive de usar em você. – Num gesto de ressentimento, os dedos se contorceram com um tremor de raiva inconformada. – Minha habilidade de alterar as coisas aqui é limitada. Fiz o que pude. – Sua cabeça estremeceu quando ergueu os olhos para encarar Joe. – Entrei em contato com vocês, de todas as maneiras que pude. Fiz tudo o que tinha a capacidade de realizar. Uma porcaria. Quase nada. – Caiu então num silêncio indignado, meditativo.

– A pichação nas paredes do banheiro – disse Joe. – Você escreveu que estava vivo e nós estávamos mortos.

– Estou vivo – disse Runciter, num tom áspero.

– Nós estamos mortos, eu e os outros?

Após uma longa pausa, Runciter respondeu:

– Sim.

– Mas no comercial de TV gravado...

– Aquilo tinha o propósito de fazê-lo lutar. Encontrar Ubik. Fez com que você procurasse, e você não parou mesmo de procurar. Eu ficava tentando levá-lo a você, mas sabe o que deu errado; ela ficava arrastando todo mundo para o passado. Influenciou a todos nós, com aquele talento dela. Várias e várias vezes ela fez a regressão, e tudo se tornava inútil. – Runciter acrescentou: – Com exceção dos bilhetes fragmentados que consegui passar para você em combinação com o material. – Com urgência, apontou o dedo pesado e firme para Joe, gesticulando com vigor. – Olha o que eu estava enfrentando. A mesma coisa que pegou todos vocês, que os eliminou, matando um por um. Francamente, para mim é espantoso que tenha sido capaz de fazer tudo o que fiz.

– Quando conseguiu entender o que estava acontecendo? Você sempre soube? Desde o início?

– O início – Runciter ecoou com sarcasmo. – O que isso quer dizer? Tudo começou meses atrás, talvez até anos. Só Deus sabe há quanto tempo Hollis, Mick, Pat Conley, S. Dole Melipone e G.G. Ashwood vêm planejando, cozinhando e processando a coisa, feito massa de pão. O que aconteceu foi o seguinte, mordemos a isca e fomos para Luna. Deixamos Pat Conley ir conosco, uma mulher que não conhecíamos, um talento que não entendíamos – que, possivelmente, nem Hollis entende. Uma habilidade ligada, de alguma forma, à reversão do tempo. Não exatamente a habilidade de viajar no tempo... por exemplo, ela não consegue ir para o futuro. Em certo sentido, não consegue ir para o passado também. O que ela faz, pelo menos o que posso compreender, é iniciar um contraprocesso que expõe os estágios anteriores, inerentes às configurações da matéria. Mas você sabe disso. Você e Al perceberam. – Rangeu os dentes com fúria – Al Hammond, que perda. Mas não pude fazer nada. Não pude atravessar então, como fiz agora.

– Por que conseguiu agora? – Joe perguntou.

– *Porque ela só consegue nos fazer regressar até aqui.* O fluxo normal para a frente já reiniciou. Já estamos novamente fluindo do passado para o presente e para o futuro. É evidente que ela estendeu sua habilidade até o limite. 1939, este é o limite. O que ela fez, agora, foi desligar seu talento. Por que não? Conseguiu realizar o que Ray Hollis a enviou para fazer conosco.

– Quantas pessoas foram afetadas?

– Só o grupo que estava em Luna, lá naquele salão da superfície. Nem mesmo Zoe Wirt. Pat consegue restringir o alcance do campo que cria. Para o resto do mundo, nosso grupo partiu para Luna e foi eliminado numa explosão acidental. Fomos colocados em bolsa térmica por um Stanton Mick solícito, mas nenhum contato pôde ser estabelecido; não nos levaram a tempo.

– Por que a explosão da bomba não seria suficiente?

Erguendo uma sobrancelha, Runciter olhou atentamente para Joe.

– Pra que usar Pat Conley? – disse Joe. Ele percebia, mesmo em seu estado exausto e abalado, que algo estava errado. – Não há nenhuma razão para todo esse mecanismo de reversão, para nos afundar, num impulso retrógrado do tempo, aqui em 1939. Não serve para nada.

– Esse é um argumento interessante – disse Runciter. Balançava a cabeça devagar, concordando, franzindo a testa enrugada e inflexível. – Terei de pensar nisso. Espere um pouco. – Andou até a janela, ficou olhando fixamente as lojas do outro lado da rua.

– Me parece – disse Joe – que estamos diante de uma força mais maligna do que intencional. Não tanto alguém tentando nos matar ou anular, tentando nos eliminar para impedir nosso funcionamento como uma organização de prudência, mas... – Ele refletiu. Estava quase chegando lá. – Uma entidade irresponsável que se diverte com o que está fazendo conosco. O modo como está nos matando um a um. Não precisaria se demorar tanto. Não me parece coisa de Ray Hollis. Ele lida com o assassinato frio e objetivo. E pelo que sei de Stanton Mick...

– A própria Pat – Runciter interrompeu bruscamente, virando-se da janela. – Ela é, em termos psicológicos, uma pessoa sádica. Do tipo que arranca asa de mosca. Brincando com a gente. – Ele observou a reação de Joe.

– Soa mais como coisa de criança.

– Mas veja Pat Conley. É rancorosa e ciumenta. Pegou Wendy primeiro por hostilidade emocional. Seguiu você até o último degrau agora mesmo, sentindo prazer com isso. Sentindo-se triunfante, na verdade.

– Como sabe disso? – disse Joe. Você estava esperando aqui neste quarto, disse a si mesmo. Não poderia ter visto. E... *como Runciter soube que ele viria para este quarto em particular?*

Soltando o ar numa exalação ruidosa e dissonante, Runciter disse:

– Ainda não contei tudo. Para dizer a verdade... – Ele parou de falar, mordeu o lábio inferior com raiva, depois retomou de modo brusco. – O que eu disse não é rigorosamente verdadeiro. Não tenho a mesma relação com este mundo regredido que o resto de vocês tem. Você está absolutamente certo: eu sei demais. É porque eu entro pelo lado de fora, Joe.

– Manifestações – disse Joe.

– Sim. Impelidas para dentro deste mundo, aqui e ali. Em pontos e tempos estratégicos. Como a multa de trânsito. Como a Pharmácia do...

– Você não gravou aquele comercial de TV – disse Joe. – Estava ao vivo.

Runciter, relutante, assentiu com a cabeça.

– Por que a diferença – disse Joe – entre a sua situação e a nossa?

– Você quer que eu diga?

– Sim. – Ele se preparou, já sabendo o que ia ouvir.

– Eu não estou morto, Joe. A pichação dizia a verdade. Vocês estão todos em bolsa térmica e eu estou... – Runciter falava com dificuldade, sem olhar diretamente para Joe. – Estou sentado num salão de consultas do Moratório Entes Queridos. Todos vocês estão interconectados, por instrução minha, mantidos em grupo. Estou aqui fora tentando entrar em contato com vocês. É onde estou quando digo que estou do lado de fora. Por isso as manifestações, como você as chama. Há uma semana venho tentando fazer com que todos funcionem em meia-vida, mas... não está dando certo. Vocês estão desaparecendo aos poucos, um por um.

Após uma pausa, Joe disse:

– E Pat Conely?

– Sim, ela está com vocês, em meia-vida, interconectada ao resto do grupo.

– Os retrocessos se devem ao talento dela? Ou à deterioração normal da meia-vida? – Tenso, ele aguardou a resposta de Runciter. Tudo, a seu ver, dependia daquela única pergunta.

Runciter bufou, contraiu o rosto, depois disse com a voz rouca:

– À deterioração normal. Ella passou por isso. Todos que entram em meia-vida passam por isso.

– Você está mentindo para mim – Joe disse. E sentiu uma faca atravessá-lo.

Olhando fixamente para ele, Runciter disse:

– Joe, meu Deus, eu salvei a sua vida. Entrei em contato com você o suficiente, agora, para trazê-lo de volta ao funcionamento completo da meia-vida, e é provável que você prossiga indefinidamente. Se não tivesse esperado aqui neste quarto de hotel quando você veio se arrastando por aquela porta, nossa, caramba... Puxa, olha, que droga. Você estaria deitado naquela cama precária, bem morto, a esta altura, se não fosse por mim. Sou Glen Runciter. Sou seu patrão e a pessoa que está lutando para salvar a vida de todos vocês. Sou a única pessoa aqui no mundo real conectando-se para falar com vocês. – Ele continuou encarando Joe com uma indignação exaltada. Uma surpresa desnorteada, injuriada, como se não conseguisse compreender o que acontecia. – Aquela garota, aquela Pat Conley, ela teria matado você como matou... – Ele parou de repente.

– Como matou Wendy e Al, Edie Dorn, Fred Zafsky e, talvez, a esta altura, Tito Apostos.

Com a voz baixa, porém controlada, Runciter disse:

– Esta situação é muito complexa, Joe. Não admite respostas simples.

– Você não sabe as respostas. Esse é o problema. Inventou as respostas. Teve que criá-las para explicar sua presença aqui. Todas as suas presenças aqui, suas assim chamadas manifestações.

– Não as chamo assim. Você e Al pensaram nesse nome. Não me culpe pelo que vocês dois...

– Você não sabe nada além do que eu sei – disse Joe – sobre o que está acontecendo conosco e quem está nos atacando. Glen, você não pode dizer quem estamos enfrentando, porque não sabe.

– Eu sei que estou vivo. Sei que estou sentado aqui neste saguão de consulta no moratório.

– Seu corpo no caixão – disse Joe. – Aqui na Funerária Simples Pastor. Você viu?

– Não. Mas isso não é realmente...

– Ele tinha definhado. Perdeu volume como o corpo de Wendy e o de Al, o de Edie... e, daqui a pouco, o meu. Exatamente o mesmo com você. Nem melhor nem pior.

– No seu caso eu consegui Ubik... – E mais uma vez Runciter parou de falar. Uma expressão difícil de ser decifrada apareceu em seu rosto: talvez uma combinação de insight, medo e... Joe não sabia dizer. – Consegui o Ubik para você – ele terminou.

– O que é Ubik?

Não houve resposta da parte de Runciter.

– Você também não sabe isso – disse Joe. – Você não sabe o que é nem por que funciona. Não sabe nem mesmo de onde vem.

Após uma pausa longa e torturante, Runciter disse:

– Você está certo, Joe. Absolutamente certo. – Trêmulo, acendeu outro cigarro. – Mas queria salvar sua vida, essa parte é verdade. Droga, queria salvar a vida de todos vocês. – O cigarro escapou de seus dedos, caiu no chão, rolou para longe. Com esforço tremendo, Runciter curvou-se e tateou para pegá-lo. O rosto mostrava uma infelicidade extrema, definida. Quase um desespero.

– Nós estamos nisso – disse Joe –, e você está sentado aí fora, nesse saguão, e não consegue fazer nada. Não consegue interromper essa coisa em que nos envolvemos.

– Isso mesmo – Runciter assentiu com a cabeça.

– Isto é a bolsa térmica, mas tem mais alguma coisa. Algo que não é natural para pessoas em meia-vida. Há duas forças em ação, como Al percebeu. Uma nos ajudando, outra nos destruindo. Você está trabalhando com a força ou entidade ou pessoa que está tentando nos ajudar. Conseguiu o Ubik com essa pessoa.

– Sim.

– Então, nenhum de nós sabe, mesmo agora, quem é que está nos destruindo... e quem é que está nos protegendo. Você aí fora não sabe, e nós aqui dentro não sabemos. Talvez seja Pat.

– Acho que sim. Acho que esse é seu inimigo.

Joe disse:

– Quase. Mas acho que não. – Acho, disse a si mesmo, que ainda não encontramos nosso inimigo cara a cara nem nosso amigo.

Mas acho que vamos encontrar, pensou. Não vai demorar para sabermos quem são os dois.

– Você tem certeza – ele perguntou a Runciter –, certeza absoluta, de que você é, sem dúvida, o único que sobreviveu à explosão? Pense antes de responder.

– Como eu disse, Zoe Wirt...

– De nós – disse Joe. – Ela não está aqui neste segmento temporal conosco. Pat Conley, por exemplo.

– O peito de Pat Conley foi esmagado. Ela morreu de choque e falência de um pulmão, com ferimentos internos múltiplos, incluindo fígado danificado e uma perna quebrada em três locais. Em termos físicos, ela está a cerca de dois metros de distância de você. O corpo dela, quero dizer.

– E é o mesmo para todos os outros? Estão todos aí em bolsa térmica no Moratório Entes Queridos?

– Com uma exceção. Sammy Mundo. Ele sofreu dano cerebral maciço e entrou em coma do qual disseram que nunca sairá. O córtex...

– Então ele está vivo. Não está em bolsa térmica. Não está aqui.

– Eu não chamaria isso de "vivo". Fizeram encefalogramas nele. Absolutamente nenhuma atividade cortical. Um vegetal, nada mais que isso. Nenhuma personalidade, nenhum movimento, nenhuma consciência... Não há nada, por mais leve que seja, acontecendo no cérebro de Sammy Mundo.

– Então, consequentemente, é natural que você não tenha pensado em mencioná-lo.

– Eu o mencionei agora.

– Quando eu perguntei. – Joe refletiu. – Ele está longe de nós? Em Zurique?

– Nós o colocamos aqui em Zurique, sim. Está no hospital Carl Jung. A cerca de meio quilômetro deste moratório.

– Alugue um telepata – disse Joe. – Ou use G. G. Ashwood. Peça um exame minucioso dele. – Um menino, disse a si mesmo. Desorganizado e imaturo. Uma personalidade cruel e amorfa. Pode ser isso, disse a si mesmo. Encaixaria no que temos vivenciado, nos acontecimentos contraditórios e caprichosos. O arrancar de nossas asas para depois colocá-las de volta. As recuperações temporárias, como neste exato momento, eu aqui neste quarto de hotel, após a minha subida pelas escadas.

Runciter suspirou.

– Fizemos isso. Em casos de danos cerebrais como esse, é uma prática comum tentar contato com a pessoa por meios telepáticos. Nenhum resultado, nada. Nenhuma atividade cerebral no lobo frontal de espécie alguma. Sinto muito, Joe. – Ele balançou a cabeça pesada com um movimento de empatia, que parecia um tique. Era óbvio que compartilhava a decepção de Joe.

Ao remover o disco de plástico, com sua firme aderência ao ouvido, Glen Runciter disse ao microfone:

– Volto a falar com você mais tarde.

Deixou então todos os aparelhos de comunicação, ergueu-se da cadeira com rigidez e ficou momentaneamente de pé diante da forma nebulosa, imóvel, presa ao gelo, de Joe Chip repousando dentro do caixão de plástico transparente. Em posição vertical e silencioso, como seria pelo resto da eternidade.

– O senhor me chamou? – Ao ouvir a campainha, Herbert Schoenheit von Vogelsang entrou rapidamente no saguão de consulta, encolhendo-se como um bobo da corte medieval. – Devo colocar o senhor Chip de volta com os outros? Já terminou, senhor?

Runciter disse:

– Terminei.

– O seu...

– Sim, entrei em contato sem problemas. Conseguimos ouvir um ao outro muito bem desta vez. – Acendeu um cigarro, fazia horas que não fumava, que não encontrava um momento livre. A esta altura, a tarefa árdua e demorada de contatar Joe Chip o havia esgotado. – Tem alguma máquina de anfetamina por aqui?

– No corredor ao lado do saguão de consulta. – A criatura ansiosa para agradar indicou a direção.

Runciter saiu do saguão e seguiu até a máquina de anfetamina. Inseriu a moeda, empurrou a alavanca de seleção, e um objeto pequeno e familiar deslizou, tilintando, pela abertura.

A pílula o fez sentir-se melhor. Mas depois pensou no encontro com Len Niggelman dali a duas horas e se perguntou se realmente ia conseguir. Tem acontecido muita coisa, concluiu. Não estou pronto para fazer meu relatório formal para a Sociedade. Terei que vidfonar para Niggelman e pedir um adiamento.

Usando um telefone público, ligou para Niggelman na Confederação Norte-Americana.

– Len, não consigo fazer mais nada hoje. Passei as últimas doze horas tentando entrar em contato com o meu pessoal em bolsa térmica e estou exausto. Amanhã estaria bom?

Niggelman disse:

– Quanto mais rápido você nos encaminhar sua declaração formal e oficial, mais rápido poderemos iniciar a ação contra Hollis. Meu departamento jurídico diz que não há objeção. Estão impacientes.

– Eles acham que conseguem fazer a acusação civil vingar?

– Civil e criminal. Eles têm conversado com o procurador de Nova York. Mas enquanto você não fizer um relatório formal, reconhecido...

– Amanhã – prometeu Runciter. – Depois que eu dormir um pouco. Essa droga quase acabou comigo. – Essa perda de todo o meu melhor pessoal, disse a si mesmo. Especialmente Joe Chip. Minha organização foi esvaziada, e não seremos capazes de retomar as operações comerciais em meses, talvez anos. Deus, pensou, onde vou conseguir inerciais para substituir os que perdi? E onde vou encontrar um examinador como Joe?

– Claro, Runciter. Tenha uma boa noite de sono e depois me encontre no escritório amanhã, digamos, onze horas, horário daqui.

– Obrigado – disse Runciter. Desligou e jogou-se num sofá de plástico rosa do outro lado do corredor. Não vou conseguir encontrar um examinador como Joe, disse a si mesmo. O fato é que a Runciter e Associados acabou.

O dono do moratório chegou, então, intervindo com mais uma de suas aparições inoportunas.

– Deseja alguma coisa, senhor Runciter? Uma xícara de café? Mais anfetamina, talvez uma cápsula de doze horas? No meu escritório tenho cápsulas de vinte e quatro horas. Isso o faria voltar à atividade por horas, se não a noite toda.

– A noite toda – disse Runciter – eu pretendo dormir.

– Então, que tal um...

– Chispa daqui – Runciter se irritou. O dono do moratório saiu rapidamente, deixando-o só. Por que eu tinha que escolher este lugar? Acho que porque Ella está aqui. Afinal, é o melhor lugar. Por isso ela está aqui, e, consequentemente, por isso eles todos estão. E pensar neles, refletiu, tantos que estavam tão recentemente deste lado do caixão. Que catástrofe.

Ella, lembrou-se. Melhor eu falar com ela de novo por um momento, deixá-la a par do que está acontecendo. Afinal, é o que prometi fazer.

Levantou-se e foi procurar o dono do moratório.

Vou deparar com aquele maldito Jory desta vez? Ou conseguirei manter Ella no foco por tempo suficiente para contar o que Joe disse? Ficou tão difícil manter a conversa com ela, com Jory crescendo, expandindo e alimentando-se dela e talvez de outros lá em meia-vida. Jory é um perigo para todos aqui. Por que o deixam continuar?

Pensou: talvez porque não consigam impedi-lo.

Talvez nunca tenha havido ninguém como Jory em meia-vida antes.

15

Será que tenho mau hálito, Tom? Ed, se está preocupado com isso, experimente o novo e atual Ubik, com ação espumante germicida. Segurança garantida, se tomado conforme as instruções.

A porta do quarto de hotel antigo se abriu. Don Denny entrou, acompanhado por um homem de meia-idade, ar responsável e cabelo grisalho bem aparado. Com o rosto contraído de apreensão, Denny disse:

– Como você está, Joe? Por que não está deitado? Pelo amor de Deus, vá para a cama.

– Por favor, deite-se, senhor Chip – o médico disse, ao colocar a maleta sobre a penteadeira e abri-la. – Há dor, junto com o esgotamento e a dificuldade de respiração? – Aproximou-se da cama com um estetoscópio antiquado e um equipamento desajeitado para verificar a pressão. – O senhor tem histórico de problemas cardíacos, senhor Chip? Ou a mãe ou o pai? Desabotoe a camisa, por favor. – Arrastou uma cadeira de madeira para o lado da cama e sentou-se, na expectativa.

Joe disse:

– Estou bem, agora.

– Deixe-o auscultar seu coração – Denny disse, sucinto.

– OK – Joe estendeu o corpo na cama e desabotoou a camisa. – Runciter conseguiu entrar em contato comigo – disse a Denny. – Estamos em bolsa térmica. Ele está do outro lado, tentando se comunicar conosco. Outra pessoa está tentando nos prejudicar. Não foi Pat quem fez isso ou, pelo menos, não fez sozinha. Nem ela nem Runciter sabem o que está acontecendo. Quando você abriu a porta, viu Runciter?

– Não – disse Denny.

– Ele estava sentado na minha frente, do outro lado do quarto. Dois, três minutos atrás. "Sinto muito, Joe", ele disse. Foi a última coisa que me disse, depois interrompeu o contato, parou de se comunicar, simplesmente encerrou a interação. Olhe na penteadeira e veja se ele deixou uma lata de spray de Ubik.

Denny procurou, depois ergueu a lata iluminada por um brilho.

– Aqui está. Mas parece vazia. – Denny balançou o recipiente.

– Quase vazia – disse Joe. – Passe o que restou em você. Pode passar. – Joe gesticulou, enfático.

– Não fale, senhor Chip – disse o médico, ouvindo pelo estetoscópio. Em seguida, puxou a manga de Joe e começou a envolver seu braço com um tecido de borracha inflável, em preparação para o teste de pressão sanguínea.

– Como está meu coração? – Joe perguntou.

– Parece normal – disse o médico. – Ainda que ligeiramente acelerado.

– Está vendo? – Joe disse a Don Denny. – Eu me recuperei.

– Os outros estão morrendo, Joe.

Sentando-se parcialmente, Joe disse:

– Todos eles?

– Todos que restaram. – Ele ergueu a lata, mas não a usou.

– Pat também?

– Quando saí do elevador aqui no segundo andar, encontrei-a. Tinha acabado de começar a acontecer com ela. Parecia terrivelmente surpresa. Parecia não conseguir acreditar. – Pôs a lata de volta onde estava. – Acho que ela pensava que era a causadora disso. Com seu talento.

Joe disse:

– Isso mesmo. É o que ela achava. Por que não quer usar o Ubik?

– Droga, Joe, nós vamos morrer. Você sabe, e eu sei. – Ele tirou os óculos com armação de tartaruga e esfregou os olhos. – Depois de ver o estado de Pat, fui aos outros quartos, e foi quando vi o resto deles. De *nós*. Por isso demoramos tanto a chegar aqui. Pedi para o doutor Taylor examiná-los. Não podia acreditar que tinham definhado tão rápido. A aceleração foi rápida demais. Só na última hora...

– Use o Ubik – disse Joe. – Ou vou usar em você.

Don Denny pegou a lata mais uma vez, agitou-a novamente e apontou o bico para si. – Está bem. Se é o que você quer. Realmente não tem nenhuma razão para não fazer isso. É o fim, não é? Ou seja, estão todos mortos, só sobramos eu e você, e o efeito do Ubik em você vai passar em algumas horas. E você não vai conseguir mais. Com isso, restarei eu. – Tomada a decisão, Denny apertou a válvula da lata de spray. O vapor irregular e tremeluzente, cheio de partículas de luz metálica que dançavam com agilidade, formou-se repentinamente ao seu redor. Don Denny desapareceu, escondido pelo halo ergoico de excitação radiante.

O doutor Taylor fez uma pausa na tarefa de verificar a pressão de Joe e virou a cabeça para olhar. Ele e Joe viram o vapor condensar. Poças cintilavam no carpete e, na parede atrás de Denny, elas brilhavam em faixas resplandescentes.

A nuvem que ocultava Denny evaporou.

A pessoa parada ali, no centro da mancha vaporizada de Ubik que encharcara o carpete gasto e desbotado, não era Don Denny.

Um garoto adolescente, insípido, delgado, olhos como botões pretos irregulares sob sobrancelhas desordenadas. Usava um traje anacrônico: camisa branca lava-e-usa, jeans e mocassins de couro, sem adornos. Roupas do meio do século. Em seu rosto alongado,

Joe viu um sorriso, mas era um sorriso disforme, uma dobra transversal que agora se tornava quase uma expressão de malícia e sarcasmo. Nenhum traço batia com outro: as orelhas tinham voltas demais para combinar com os olhos quitinosos. O cabelo liso contradizia os pelos enrolados e entrelaçados das sobrancelhas. E o nariz, pensou Joe, muito fino, muito pontudo, longo demais. Até o queixo não conseguia harmonizar-se com o resto do rosto; tinha uma marca de talho, uma fenda que claramente penetrava até o osso... Joe pensou, como se, naquele lugar, o fabricante da criatura tivesse dado um golpe com a intenção de destruí-la. Mas o material físico, a substância de base, estava denso demais. O garoto não tinha rompido e despedaçado. Existia, desafiando até mesmo a força que o havia construído. Zombava dela, como de todas as coisas.

– Quem é você? – disse Joe.

O garoto retorceu os dedos, notava-se que a contração evitava uma gagueira.

– Às vezes me chamo Matt, às vezes, Bill. Mas a maior parte das vezes sou Jory. Esse é o meu nome verdadeiro... Jory. – Dentes cinzentos e gastos apareciam quando ele falava. E uma língua imunda.

Após um intervalo, Joe disse:

– Onde está Denny? Ele nunca entrou neste quarto, não é? – Morto, pensou, com os outros.

– Engoli Denny há muito tempo – disse o rapaz. – Logo no começo, antes de virem de Nova York. Primeiro engoli Wendy Wright. Denny foi o segundo.

Joe disse:

– O que você quer dizer com "engoli"? – Literalmente? ele se perguntou, sua carne estremecendo de aversão. O impulso físico de repulsa cobriu-o como uma onda, tragando-o, como se seu corpo quisesse encolher. Mas conseguiu, mais ou menos, esconder a reação.

– Eu fiz o que faço – disse Jory. – É difícil explicar, mas tenho feito isso há muito tempo, com muita gente em meia-vida. Eu como a vida delas, o que sobra dela. Tem muito pouco em cada pessoa, então preciso de muitas. Costumava esperar até que elas ficassem em meia-vida por um tempo, mas agora tenho que tomá-las imediatamente. Se quiser ser capaz de viver. Se você chegar perto de mim e ouvir – eu fico com a boca aberta – vai conseguir escutar as vozes. Não todas, mas pelo menos as últimas que comi. As que você conhece. – Com a unha, cutucou um incisivo superior, inclinando a cabeça para o lado enquanto observava Joe, claramente esperando para ouvir sua reação. – Não tem nada a dizer?

– Foi você que me fez começar a morrer, lá embaixo no saguão do hotel.

– Eu, e não Pat. Eu a engoli lá no corredor do elevador, e depois engoli os outros. Achei que vocês estivessem mortos. – Ele girou a lata de Ubik, que ainda segurava. – Não consigo entender isto. O que tem aqui, e onde Runciter consegue? – Franziu a testa. – Mas Runciter não pode estar fazendo isso, você está certo. Ele está do lado de fora. Isso tem origem dentro do nosso ambiente. Tem que ter, porque nada pode entrar, a não ser palavras.

Joe disse:

– Então não tem nada que você possa fazer comigo. Você não pode me engolir, por causa do Ubik.

– Não posso engolir você por um tempo. Mas o efeito do Ubik vai passar.

– Isso você não sabe. Você nem sabe o que é ou de onde vem. – Será que posso matá-lo?, pensou. O garoto Jory parecia frágil. Foi essa coisa que pegou Wendy, disse a si mesmo. Estou vendo cara a cara, como sabia que ia acabar vendo. Wendy, Al, o verdadeiro Don Denny... todos os outros. Engoliu até o cadáver de Runciter, quando estava no caixão na funerária. Devia ter uma centelha de atividade protofásica residual nele ou perto dele, algo assim, em todo caso, que o atraiu.

O médico disse:

– Senhor Chip, não tive chance de terminar de tirar a sua pressão. Por favor, deite-se.

Joe o encarou, depois disse:

– Ele não viu a sua mudança, Jory? Ele não ouviu o que você disse?

– O doutor Taylor é um produto da minha mente – disse Jory. – Como qualquer outro acessório deste pseudomundo.

– Não acredito – declarou Joe. E disse ao médico: – Você ouviu o que ele falou antes, não ouviu?

Com um estalo fraco e sibilante, o médico desapareceu.

– Viu? – Jory disse, satisfeito.

– O que vai fazer quando eu acabar de morrer? – Joe perguntou ao garoto. – Vai continuar mantendo este mundo de 1939, este pseudomundo, como você o chama?

– Claro que não. Não haveria nenhuma razão.

– Então, é tudo para mim, só para mim. Este mundo inteiro.

Jory disse:

– Não é muito grande. Um hotel em Des Moines. E uma rua diante da janela com algumas pessoas e carros. E talvez alguns outros prédios que coloquei: lojas do outro lado da rua para você ver quando, por acaso, olhar para fora.

– Então você não está mantendo nenhuma Nova York ou Zurique ou...

– Por que deveria? Não tem ninguém lá. Aonde quer que você e os outros do grupo fossem, eu construía uma realidade tangível que correspondia às suas expectativas mínimas. Quando você veio de Nova York para cá, criei centenas de quilômetros de regiões rurais, cidade por cidade, achei muito cansativo. Tive de comer muito para compensar. Na verdade, foi por isso que tive que acabar com os outros tão rápido, depois que chegou aqui. Precisei me reabastecer.

– Por que 1939? Por que não o nosso próprio mundo contemporâneo, 1992?

– O esforço. Não consigo evitar que os objetos regridam. Fazer tudo isso sozinho era demais para mim. Criei 1992 primeiro, mas depois as coisas começaram a falhar. As moedas, o creme, os cigarros... todos os fenômenos que vocês notaram. E depois Runciter começou a abrir caminho de fora, isso dificultou ainda mais as coisas para mim. Na verdade, teria sido melhor se ele não tivesse interferido. – Jory deu um sorriso largo e furtivo. – Mas não me preocupei com a regressão. Sabia que vocês iam achar que era Pat Conley. Ia parecer coisa do talento dela, porque é meio parecido com o que o talento dela faz. Achei que, talvez, vocês fossem matá-la. Eu teria gostado disso. – O sorriso cresceu.

– Qual o sentido de manter este hotel e a rua lá fora para mim agora? Agora que eu sei?

– Mas sempre faço desse jeito – Jory arregalou os olhos.

Joe disse:

– Vou matar você. – Deu um passo na direção de Jory, num movimento descoordenado, quase caindo. Erguendo as mãos abertas, lançou-se contra o garoto, tentando agarrar o pescoço, buscando a traqueia fina e torta com todos os dedos.

Rosnando, Jory o mordeu. Os dentes largos afundaram na mão direita de Joe. Continuaram ali enquanto Jory erguia a cabeça, levando a mão de Joe com a mandíbula. Jory o encarou com olhos alertas e um ronco úmido, tentando fechar as maxilas. Os dentes entraram mais fundo, e Joe sentiu a dor se espalhar. Ele está me engolindo, percebeu. – Você não pode – disse em voz alta. Atingiu Jory no nariz, socando várias vezes. – O Ubik o mantém longe – disse, ao acertar os olhos debochados de Jory. – Não pode fazer isso comigo.

– Mahg grou – Jory grunhiu, prensando as maxilas para o lado como uma ovelha. Triturando a mão de Joe até a dor tornar-se insuportável. Ele chutou Jory. Os dentes soltaram sua mão. Joe arrastou-se para trás, olhando para o sangue que brotava dos furos feitos pelos dentes de troll. Nossa!, disse a si mesmo, horrorizado.

– Não pode fazer comigo – disse Joe – o que fez com eles. Localizou a lata de spray de Ubik e apontou o bico na direção da ferida sangrenta que sua mão havia se tornado. Apertou o botão de plástico vermelho, e um jato fraco de partículas saiu e assentou uma película sobre a carne mastigada e dilacerada. A dor foi embora de imediato. Diante de seus olhos, a ferida cicatrizou.

– E você não pode me matar – disse Jory. Ainda com um sorriso largo.

– Vou descer. – Joe caminhou, sem firmeza, até a porta do quarto e a abriu. Do lado de fora estava o corredor desbotado. Seguiu em frente, passo a passo, caminhando com cuidado. O chão, no entanto, parecia substancial. Não um mundo incompleto ou irreal.

– Não vá longe demais – Jory avisou. – Não consigo manter uma área muito grande. Tipo, se você fosse entrar num daqueles carros e dirigir por quilômetros... ia chegar a um ponto em que tudo viria abaixo. E você não iria gostar nem um pouco, não mais do que eu.

– Não sei o que tenho a perder. – Joe chegou ao elevador, apertou o botão para descer.

Jory gritou para ele:

– Tenho problemas com elevadores. São complicados. Talvez você deva usar a escada.

Depois de esperar um pouco mais, Joe desistiu. Como Jory havia aconselhado, desceu pela escada – os mesmos lances pelos quais subira tão recentemente, degrau por degrau, num esforço angustiante.

Bem, pensou, esse é um dos dois agentes em ação. Jory é o que está nos destruindo – que nos destruiu, exceto a mim. Por trás de Jory não há nada, ele é o fim. Será que vou encontrar o outro? Provavelmente, não a tempo de fazer alguma diferença, concluiu. Olhou mais uma vez para a mão. Completamente curada.

Chegando ao saguão, olhou atentamente à sua volta, as pessoas, o grande lustre no alto. Jory, em muitos aspectos, tinha feito um bom trabalho, apesar da reversão a estas formas antigas. Real, pensou, sentindo o chão sob seus pés. Não posso superar isto.

Jory deve ter experiência, pensou. Já deve ter feito isso muitas vezes.

Foi à recepção e disse ao funcionário:

– Tem algum restaurante que você recomendaria?

– Seguindo por esta rua – o recepcionista disse, fazendo uma pausa na tarefa de separar as correspondências. – À sua direita. O Toureiro. O senhor vai achá-lo excelente.

– Estou solitário – disse Joe, num impulso. – O hotel possui alguma fonte de satisfação? Garotas?

O recepcionista disse, com desaprovação:

– Não *este* hotel, senhor. Este hotel não alcovita.

– Nota-se que é um hotel de família, bom e limpo.

– Gostamos de pensar que sim, senhor.

– Estava só testando – disse Joe. – Queria ter certeza do tipo de hotel em que estou hospedado. – Afastou-se do balcão, atravessou o saguão, desceu a ampla escadaria de mármore, passou pela porta giratória e saiu para a calçada.

16

Desperte com uma deliciosa e energética tigela de flocos tostados Ubik. Nutritivo e substancioso, o cereal para adultos que é mais crocante, mais saboroso, mais hummm...! Cereal matinal Ubik, a tigela inteira é de dar água na boca. Não exceda a porção recomendada em nenhuma das refeições.

A diversidade de carros o impressionava. Muitos anos representados, muitas marcas e modelos. O fato de a maioria ser preta não era culpa de Jory. O detalhe era autêntico.

Mas como Jory sabia disso?

Singular, pensou. O conhecimento que Jory tinha das minúcias de 1939, período em que nenhum de nós viveu – exceto Glen Runciter.

Então, subitamente, percebeu por quê. Jory tinha dito a verdade. Ele construíra – não este mundo – mas o mundo ou, antes, a duplicata fantasmagórica, do próprio tempo deles. As formas em decomposição não eram causadas por ele, ocorriam a despeito de seus esforços. São atavismos naturais, Joe deu-se conta, que acontecem de forma mecânica à medida que a força de Jory diminui. Como diz o garoto, é um esforço enorme. Talvez esta seja a primeira vez que ele cria um mundo tão diverso assim, para tantas pessoas ao mesmo tempo. Não é comum que tantos meias-vidas estejam conectados.

Impusemos uma pressão anormal a Jory, disse a si mesmo. E pagamos por isso.

Um velho táxi Dodge quadrado passou, fazendo barulho. Joe acenou, e o carro patinou, ruidoso, até o meio-fio. Vamos testar agora o que Jory falou, disse a si mesmo, quanto à fronteira prematura deste quase-mundo. E disse ao motorista:

– Me leve num passeio pela cidade. Vá a qualquer lugar que queira. Eu gostaria de ver o maior número de ruas, prédios e pessoas possível, e depois, quando tiver percorrido toda Des Moines, quero que me leve à próxima cidade, e veremos.

– Não vou para outras cidades, senhor – disse o motorista, mantendo a porta aberta para Joe. – Mas ficarei feliz em levá-lo por toda parte em Des Moines. É uma bela cidade, senhor. É de outro Estado, não é?

– Nova York – Joe disse, ao entrar no táxi.

O carro voltou para o tráfego.

– Como as pessoas lá em Nova York se sentem com relação à guerra? – o motorista perguntou logo. – Acham que vamos entrar? Roosevelt quer nos fazer...

– Não estou a fim de discutir política nem guerra – Joe disse, num tom áspero.

Seguiram por algum tempo, em silêncio.

Observando os prédios, as pessoas e os carros passando, Joe perguntou-se mais uma vez como era possível Jory manter aquilo. Tantos detalhes, admirou-se. Logo deverei chegar ao extremo. Devo estar quase lá.

– Motorista, tem alguma casa de prostituição aqui em Des Moines?

– Não.

Talvez Jory não consiga lidar com isso, refletiu Joe. Por ser tão jovem. Ou talvez desaprove. Sentiu-se, de repente, cansado. Aonde estou indo? E para quê? Para provar a mim mesmo que o que Jory me contou é verdade? *Já sei que é verdade.* Vi o médico sumir. Vi Jory aparecer de dentro de Don Denny. Isso deveria ter sido suficiente. Tudo o que estou fazendo é sobrecarregar ainda mais Jory, o que vai aumentar seu apetite. Melhor desistir, pensou. Isso não faz sentido.

E, como Jory disse, o efeito do Ubik passaria de qualquer jeito. Esse passeio de carro por Des Moines não é como quero passar meus últimos minutos ou horas de vida. Deve haver outra coisa.

Na calçada, uma garota passava com movimentos lentos e suaves. Parecia estar olhando vitrines. Bonita, com tranças loiras e vistosas, usando um suéter desabotoado sobre a blusa, saia vermelho-vivo e sapatinhos de salto alto.

– Vá mais devagar – ordenou ao motorista. – Ali, perto daquela garota de tranças.

– Ela não vai falar com você – disse o motorista. – Vai chamar um guarda.

Joe disse:

– Não ligo. – Dificilmente faria alguma diferença àquela altura.

Reduzindo a velocidade, o velho Dodge aproximou-se do meio fio aos sobressaltos, os pneus protestando ao serem friccionados contra a guia. A garota ergueu o olhar.

– Oi, moça – disse Joe.

Ela o observou com curiosidade. Seus olhos azuis, inteligentes e vivos, cresceram um pouco, mas sem demonstrar aversão ou alarme. Antes, ela parecia se divertir um pouco com ele. Mas de maneira afetuosa.

– Sim? – ela disse.

– Eu vou morrer – disse Joe.

– Ah, querido – ela disse com preocupação. – Você está...

– Ele não está doente – o motorista interveio. – Estava perguntando por garotas. Só quer paquerar você.

A garota riu. Sem hostilidade. E não foi embora.

– É quase hora de jantar – Joe disse a ela. – Deixe-me levá-la a um restaurante, o Toureiro. Ouvi dizer que é legal. – Seu cansaço, agora, tinha aumentado. Sentiu o peso sobre si, e então percebeu, com horror silencioso e desgastado, que consistia da mesma fadiga que o acometera no saguão do hotel, depois de mostrar a multa a Pat. E o frio. Furtivamente, a experiência física da bolsa térmica envolvendo-o havia voltado. O Ubik está começando a perder o efeito, percebeu. Não tenho muito mais tempo.

Algo deve ter transparecido em seu rosto. A garota andou em sua direção, até a janela do táxi.

– Você está bem?

Joe disse, com esforço:

– Estou morrendo, moça. – A ferida na mão, a marca dos dentes, tinha começado a latejar novamente. E começava a se tornar visível mais uma vez. Só isso já teria sido suficiente para enchê-lo de pavor.

– Peça para o motorista levá-lo ao hospital – disse a garota.

– Podemos jantar juntos?

– É o que você quer fazer? Sendo que está... o que quer que seja. Doente? Está doente? – Ela abriu a porta do táxi. – Quer que eu vá ao hospital com você? É isso?

– Para o Toureiro – disse Joe. – Vamos comer filé refogado de grilo-toupeira marciano. – Lembrou, então, que a iguaria importada não existia naquele período de tempo. – Bife. Carne de vaca. Você gosta de carne?

Ao entrar no táxi, a garota disse ao motorista:

– Ele quer ir ao Toureiro.

– OK, moça. – O carro voltou a rodar no trânsito. Na intersecção seguinte, o motorista fez um retorno. Agora, Joe percebeu, estamos a caminho do restaurante. Será que vou conseguir chegar lá? A fadiga e o frio o invadiram por completo. Sentiu suas atividades corporais começarem a parar, uma por uma. Órgãos que não tinham futuro. O fígado não precisava produzir glóbulos vermelhos, os rins não precisavam excretar resíduos, o intestino não servia mais a nenhum propósito. Apenas o coração, que seguia trabalhando com dificuldade, e a respiração cada vez mais difícil. Cada vez que aspirava o ar para os pulmões, sentia o bloco de concreto que havia se alojado no peito. A lápide do meu túmulo, concluiu. Viu que a mão estava sangrando de novo. O sangue espesso e lento aparecia, gota por gota.

– Quer um Lucky Strike? – A garota perguntou, estendendo o maço na direção dele. – "É tostado", como diz o slogan. A frase "Lucky Strike Significa Fumo de Primeira" só vai passar a existir depois de...

Joe disse:

– Meu nome é Joe Chip.

– Quer que eu diga meu nome?

– Sim – disse, rouco, e fechou os olhos. Não conseguia mais falar, pelo menos por algum tempo. – Você gosta de Des Moines? – Perguntou logo, escondendo a mão. – Mora aqui há muito tempo?

– Parece muito cansado, senhor Chip – disse a garota.

– Ah, dane-se – gesticulou. – Não importa.

– Importa, sim. – A garota abriu a bolsa, remexeu rápido em seu interior. – Não sou uma distorção de Jory. Não sou como ele... – ela apontou para o motorista. – Nem como essas lojinhas e casas velhas, esta rua pálida, todas as pessoas e seus carros neolíticos. Toma, senhor Chip. – Ela tirou um envelope da bolsa e passou para ele. – Isto é para o senhor. Abra imediatamente. Acho que nenhum de nós dois deveria ter adiado isso por tanto tempo.

Com dedos de chumbo, ele abriu o envelope com um rasgo.

Dentro, encontrou um certificado, imponente e ornamentado. As letras impressas, no entanto, giravam. Ele estava cansado demais para ler.

– O que diz? – perguntou a ela, colocando o papel no colo.

– É da empresa que fabrica Ubik – disse a garota. – É uma garantia, senhor Chip, de fornecimento gratuito, para a vida toda. Gratuito porque sei de seu problema com dinheiro, sua, digamos, idiossincrasia. E uma lista, no verso, de todas as farmácias que o têm no estoque. Duas drogarias... e não drogarias abandonadas... em Des Moines estão especificadas. Sugiro irmos a uma delas primeiro, antes de jantarmos. Olha, motorista. – Ela se inclinou para a frente e entregou-lhe uma tira de papel que já tinha algo escrito. – Nos leve a este endereço. E rápido, vai fechar logo.

Joe recostou-se no assento, arfando.

– Vamos chegar à farmácia – a garota disse, e deu um tapinha tranquilizador no braço dele.

– Quem é você?

– Meu nome é Ella. Ella Hyde Runciter. Esposa do seu patrão.

– A senhora está aqui conosco. Deste lado. Está em bolsa térmica.

– Como você bem sabe. Estou há algum tempo – disse Ella Runciter. – Não vai demorar muito para eu nascer novamente em outro útero, acho. Pelo menos é o que Glen diz. Fico sonhando com uma luz vermelha enfumaçada, e isso é ruim. Não é um útero moralmente adequado no qual nascer. – Deu uma risada sonora e afetuosa.

– *Você é o outro agente* – disse Joe. – Jory nos destruindo, você tentando nos ajudar. Por trás de você não há ninguém, assim como não existe ninguém por trás de Jory. Cheguei às últimas entidades envolvidas.

Ella disse, num tom sarcástico:

– Não me vejo como uma "entidade". Geralmente me vejo como Ella Runciter.

– Mas é verdade – disse Joe.

– Sim – melancólica, ela concordou com a cabeça.

– Por que está trabalhando contra Jory?

– Porque Jory me invadiu – disse Ella. – Ele me ameaçou da mesma forma que ameaçou você. Nós dois sabemos o que faz. Ele mesmo lhe contou, no quarto de hotel. Às vezes, ele fica muito poderoso. De vez em quando, consegue me derrubar, quando estou ativa e tentando conversar com Glen. Mas parece que sou capaz de lidar melhor com ele do que a maioria dos meias-vidas, com ou sem Ubik. Melhor, por exemplo, que o seu grupo, mesmo agindo de modo coletivo.

– Sim – disse Joe. Com certeza era verdade. Devidamente comprovada.

– Quando eu renascer, Glen não será mais capaz de me consultar. Tenho um motivo muito egoísta e prático para ajudá-lo, senhor Chip. *Quero que me substitua.* Quero ter alguém a quem Glen possa pedir conselhos, com quem possa contar. Você será ideal. Fará em meia-vida o que fez a vida toda. Portanto, em certo sentido, não estou sendo motivada por sentimentos nobres. Eu o salvei de Jory por uma ótima questão de bom senso. – Acrescentou: – E Deus sabe o quanto eu detesto Jory.

– Depois que a senhora renascer, não vou sucumbir?

– Você tem o seu fornecimento vitalício de Ubik. Conforme consta do certificado que lhe dei.

Joe disse:

– Talvez eu consiga derrotar Jory.

– Destruí-lo, você quer dizer? – Ella ponderou a questão. – Ele não é invulnerável. Talvez, com o tempo, você possa aprender formas de anulá-lo. Acho que isso é realmente o máximo que você pode esperar fazer. Duvido que possa destruí-lo de verdade... em outras palavras, consumi-lo... como ele faz com meias-vidas colocados perto dele no moratório.

– Droga – disse Joe. – Vou contar a Glen Runciter a situação e pedir que mude Jory para fora do moratório de vez.

– Glen não possui nenhuma autoridade para fazer isso.

– Schoenheit von Vogelsang não vai...

– Herbert recebe muito dinheiro anualmente da família de Jory, para mantê-lo com os outros e pensar em razões plausíveis para que isso seja feito. E... existem Jorys em todas os moratórios. Essa batalha acontece onde quer que haja meias-vidas. É uma realidade, uma regra, do nosso tipo de existência. – Ela ficou em silêncio, então. Pela primeira vez, vi em seu rosto uma expressão de raiva. Um olhar agitado, tenso, que perturbava sua tranquilidade. – Tem que ser travada do nosso lado do vidro. Por quem está em meia-vida, por quem Jory faz de presa. Terá de assumir, senhor Chip, depois que eu tiver renascido. Acha que consegue? Será difícil. Jory estará sempre consumindo a sua força, colocando um peso sobre você, que você vai sentir como... – Ela hesitou. – A aproximação da morte. O que de fato será. Porque, de todo modo, em meia-vida, estamos constantemente encolhendo. Mas não tão rápido.

Joe pensou, consigo lembrar o que ele fez a Wendy. Isso vai me dar forças. Só isso.

– Aí está a farmácia, moça – disse o motorista. O velho Dodge quadrado e aprumado chiou até o meio-fio e estacionou.

– Não vou entrar com você – Ella Runciter disse a Joe, quando abriu a porta e saiu se arrastando, trêmulo. – Adeus. Obrigada por sua lealdade a Glen. Obrigada pelo que fará por ele. – Ela se inclinou em sua direção, deu um beijo na bochecha. Seus lábios lhe pareceram plenos de vida. E parte dela lhe foi transmitida, ele se sentiu ligeiramente mais forte. – Boa sorte com Jory. – Ela se recostou, acomodou-se com serenidade, a bolsa no colo.

Joe fechou a porta do táxi, ficou de pé e seguiu vacilante para dentro da farmácia. Atrás dele, o carro saiu, ruidoso. Ele ouviu, mas não o viu partir.

No interior solene da farmácia, iluminado por lamparinas, um farmacêutico careca usando um colete formal e escuro, gravata borboleta e calça de pele de tubarão passada com precisão, aproximou-se dele.

– Infelizmente, estamos fechando, senhor. Estava justamente indo trancar a porta.

– Mas estou dentro – disse Joe. – E quero ser atendido. – Ele mostrou ao farmacêutico o certificado que Ella havia lhe dado. Apertando os olhos atrás dos óculos redondos sem armação, o farmacêutico esforçou-se para ler o tipo gótico. – O senhor vai me atender?

– Ubik – disse o farmacêutico. – Tenho a impressão de que acabou. Deixe-me verificar. – Ele saiu de perto.

– Jory – disse Joe.

O farmacêutico virou a cabeça e disse:

– Senhor?

– Você é Jory. – Consigo ver agora, disse a si mesmo. Estou aprendendo a reconhecê-lo quando o vejo. – Você inventou esta farmácia e tudo nela, exceto as latas de spray de Ubik. Você não tem autoridade nenhuma sobre Ubik. Isso vem de Ella. – Esforçando-se para se mexer, seguiu, aos poucos, até a parte de trás do balcão, para as prateleiras de estoque de remédios. Examinou, na escuridão, uma prateleira após a outra, tentando localizar o Ubik. A iluminação da loja tinha enfraquecido. As lâmpadas antiquadas estavam esmaecendo.

– Eu regredi todos os Ubiks desta loja – o farmacêutico disse, com a voz jovem e aguda de Jory. – Para bálsamo para o fígado e rins. Não adianta nada agora.

– Vou para a outra farmácia que tem Ubik. – Joe apoiou-se no balcão, aspirando, com dor, tragos lentos e irregulares de ar.

Jory, de dentro do farmacêutico calvo, disse:

– Estará fechada.

– Amanhã. Posso aguentar até amanhã de manhã.

– Não pode – disse Jory. – E, de qualquer modo, o Ubik dessa farmácia terá regredido também.

– Outra cidade.

– Aonde quer que vá, terá regredido. Para unguento, pó, elixir ou bálsamo. Nunca verá uma lata de spray dele, Joe Chip. – Jory, na forma do farmacêutico careca, sorriu, mostrando dentaduras que pareciam de celuloide.

– Eu posso... – Ele parou de repente, reunindo sua escassa vitalidade. Tentando, com suas próprias forças, aquecer o corpo rígido e entorpecido de frio. – Fazê-lo voltar ao presente. A 1992.

– Pode, senhor Chip? – O farmacêutico entregou a Joe um recipiente quadrado de papelão. – Aqui está. Abra e verá...

– Eu sei o que verei. – Concentrou-se no pote azul de bálsamo para fígado e rins. Evolua, disse para o objeto, inundando-o com sua necessidade. Derramou no recipiente toda a energia que ainda restava. Não houve mudança. Este é o mundo normal, disse ao objeto. – Lata de spray – disse em voz alta. Fechou os olhos, descansando.

– Não é uma lata de spray, senhor Chip – disse o farmacêutico. Andando de um lado para o outro da farmácia, apagou as luzes. Na caixa registradora, bateu numa tecla e a gaveta abriu com um ruído. Com habilidade, transferiu as notas e moedas para uma caixa de metal com tranca.

– Você é uma lata de spray – Joe disse para o recipiente de papelão que segurava. – É 1992 – disse e tentou projetar sua vontade. Pôs tudo de si no esforço.

A última luz se extinguiu, apagada pelo falso farmacêutico. Uma luz fraca brilhou dentro da farmácia, vinda do poste do lado de fora. Com ela, Joe pôde distinguir a forma do objeto em sua mão, suas linhas cúbicas. Ao abrir a porta, o farmacêutico disse:

– Venha, senhor Chip. Hora de ir para casa. Ela estava errada, não? E não vai vê-la de novo, porque ela está muito adiantada na estrada para o renascimento. Não está mais pensando em você nem em mim ou em Runciter. O que Ella vê, agora, são diversas luzes: vermelhas e desbotadas, depois talvez laranja e vivas...

– O que estou segurando aqui é uma lata de spray.

– Não – disse o farmacêutico. – Sinto muito, senhor Chip. Sinto mesmo. Mas não é.

Joe colocou o recipiente de papelão sobre um balcão próximo. Virou, com dignidade, e iniciou o trajeto longo e vagaroso até a porta da frente da farmácia, que o farmacêutico mantinha aberta para ele. Nenhum dos dois disse nada até que Joe, por fim, atravessou o vão e saiu na calçada noturna.

Atrás dele, o farmacêutico saiu também, curvou-se e trancou a porta.

– Acho que vou reclamar com o fabricante – disse Joe. – Sobre a... – Parou de falar. Algo comprimiu sua garganta. Não conseguia falar e não conseguia respirar. Em seguida, temporariamente, a obstrução diminuiu. – Sua farmácia regredida – terminou.

– Boa noite – disse o farmacêutico. Permaneceu por um momento, observando Joe no escuro da noite. Depois, deu de ombros e saiu.

À sua esquerda, Joe distinguiu o vulto de um banco em que as pessoas se sentavam para esperar o bonde. Conseguiu ir até lá, para se sentar. As outras pessoas, duas ou três, quantas fossem, espremeram-se para se afastar dele, por aversão ou para lhe dar espaço. Não conseguiu saber qual dos dois, e não se importava. Tudo o que sentia era o apoio do banco sob ele, o alívio de parte do seu vasto peso inercial. Mais alguns minutos, disse a si mesmo. Se estou me lembrando bem. Deus, que coisa para se enfrentar, disse a si mesmo. Pela segunda vez.

De todo modo, tentamos, pensou, vendo as luzes amarelas bruxuleantes e os sinais de neon, o fluxo de carros nos dois sentidos diretamente diante de seus olhos. Pensou consigo, Runciter esperneou e lutou. Ella resistiu, atacou e golpeou por muito tempo. E eu, por pouco, não fiz um pote de bálsamo Ubik para fígado e rins evoluir até o presente. Quase consegui. Saber disso provocava algo, uma consciência de sua grande força própria. Sua última tentativa transcendental.

O bonde, uma monstruosidade tilintante de metal, parou, rangendo, diante do banco. As pessoas ao lado de Joe levantaram-se e apressaram-se para embarcar pela plataforma traseira.

– Ei, moço! – o condutor gritou para Joe. – Vai vir ou não vai?

Joe não disse nada. O condutor esperou, depois sacudiu o fio do sinal. Ruidoso, o bonde deu a partida, continuou seguindo, depois, por fim, desapareceu além do seu campo de visão. Boa sorte, Joe disse a si mesmo ao ouvir o barulho das rodas do bonde diminuir até sumir. E até logo.

Ele se recostou, fechou os olhos.

– Com licença – curvando-se sobre ele na escuridão, uma garota com um casaco de couro de avestruz sintético. Ele olhou para ela, retomando a consciência em choque. – Senhor Chip? – Bonita e esbelta, com chapéu, terno, luvas e salto alto. Tinha algo na mão.

Ele viu o contorno de um pacote. – De Nova York? Da Runciter e Associados? Não quero entregar isto para a pessoa errada.

– Sou Joe Chip. – Por um momento, pensou que a garota poderia ser Ella Runciter. Mas nunca a vira antes. – Quem a enviou?

– Doutor Sonderbar. O doutor Sonderbar Jr, filho do doutor Sonderbar, o fundador.

– Quem é? – O nome não significava nada para ele, depois se lembrou onde o havia visto. – O homem do fígado e rins. Folhas de loureiro rosa processadas, óleo de hortelã-pimenta, carvão vegetal, cloreto de cobalto, óxido de zinco... – O cansaço tomou conta dele, parou de falar.

A garota disse:

– Fazendo uso das técnicas mais avançadas da ciência atual, a reversão da matéria para formas mais primitivas pode ser revertida, e a um preço que qualquer dono de condapto pode pagar. Ubik é vendido pelas principais lojas de arte e decoração de toda a Terra. Então, procure-o na loja que frequenta, senhor Chip.

Completamente consciente agora, ele disse:

– Procurá-lo *onde?* – Levantou-se com esforço, ficou de pé com uma oscilação inexperiente. – Você é de 1992. O que você disse veio do comercial de TV de Runciter. – Um vento noturno o roçou, e Joe sentiu que o puxava, arrastando-o para longe com ele. Joe parecia um amontoado de teias e panos, que mal se mantinha coeso.

– Sim, senhor Chip. – A garota lhe entregou o pacote. – O senhor me trouxe do futuro, com o que fez lá dentro da farmácia momentos atrás. Me chamou diretamente da fábrica. Senhor Chip, eu poderia passar o spray no senhor, se estiver fraco demais para fazê-lo. Posso? Sou representante e consultora técnica oficial da fábrica. Sei como fazer a aplicação. – Ela pegou o pacote de volta rapidamente de suas mãos trêmulas, rasgou a embalagem e passou o spray de Ubik nele. No crepúsculo, ele viu a lata cintilar. Viu as letras alegres e coloridas.

– Obrigado – disse após um tempo. Depois que se sentiu melhor. E mais aquecido.

– Não precisou de tanto tempo quanto precisou no quarto do hotel. Deve estar mais forte que antes. Tome, fique com a lata. Pode precisar dela antes de amanhecer.

– Posso obter mais? Quando esta acabar?

– Evidente que sim. Se me trouxe aqui uma vez, presumo que possa me trazer novamente. Do mesmo modo. – Ela se afastou, fundindo-se com as sombras criadas pelas paredes densas das lojas fechadas por perto.

– O que *é* Ubik? – Joe disse, querendo que ela ficasse.

– Uma lata de spray de Ubik – a garota respondeu – é um ionizador negativo portátil, com uma unidade independente de alta voltagem e baixa amperagem movida por uma bateria de hélio de 25 quilowatts e ganho de pico. Os íons negativos recebem um spin anti-horário de uma câmara de aceleração radicalmente enviesada que cria uma tendência centrípeta neles de modo que entram em coerência em vez de se dissipar. Um campo de íon negativo diminui a velocidade dos antiprotofásons normalmente presentes na atmosfera. Assim que sua velocidade cai, deixam de ser antiprotofásons e, pelo princípio da paridade, não podem mais se unir a protofásons irradiados por pessoas congeladas em bolsa térmica, ou seja, que estão em meia-vida. O resultado final é que a proporção de protofásons não cancelados pelos antiprotofásons aumenta, o que significa... por um tempo específico, pelo menos... um incremento no campo livre de atividade protofasônica produzido... o que o meia-vida afetado sente como um aumento de vitalidade, somado a uma redução da experiência de baixa temperatura de bolsa térmica. Portanto, o senhor pode ver por que as formas regredidas de Ubik não foram capazes de...

Joe disse, refletindo:

– Dizer "íons negativos" é redundante. Todos os íons são negativos.

Mais uma vez, a garota se afastou.

– Talvez eu o veja novamente – ela disse num tom suave. – Foi gratificante trazer a lata de spray para você. Talvez, na próxima vez...

– Talvez possamos jantar juntos – disse Joe.

– Vou aguardar ansiosa. – Ela fluiu, cada vez mais distante.

– Quem inventou Ubik?

– Diversos meias-vidas responsáveis, ameaçados por Jory. Mas principalmente Ella Runciter. Ela e eles tiveram que trabalhar por muito, muito tempo. E ainda não há muito disponível, até agora. – Fluindo para longe dele, do seu modo elegante e discreto, ela continuou a recuar e, em seguida, aos poucos, se foi.

– No Toureiro – Joe gritou para ela. – Fiquei sabendo que Jory fez um bom trabalho de materialização. Ou regressão na medida certa, o que quer que seja que ele faz. – Ele ficou escutando, mas a garota não respondeu.

Carregando a lata de spray de Ubik, Joe Chip saiu andando para saudar o trânsito noturno, em busca de um táxi.

Sob a iluminação dos postes, ergueu a lata de spray de Ubik e leu a impressão no rótulo.

ACHO QUE O NOME DELA É MYRA LANEY.
OLHE NO VERSO DO RECIPIENTE
PARA VER ENDEREÇO E TELEFONE

– Obrigado – Joe disse para a lata de spray. Somos atendidos, pensou, por fantasmas orgânicos que, falando e escrevendo, passam por este nosso novo ambiente. Vigilantes, fantasmas físicos, sábios do mundo da vida completa, elementos que se tornaram fragmentos invasores, porém agradáveis, de uma substância que pulsa como um coração anterior. E de todos eles, pensou, obrigado a Glen Runciter. Em particular. O escritor das instruções, rótulos e bilhetes. Bilhetes valiosos.

Ergueu o braço, o que fez com que um táxi Graham 1936 parasse, com certa relutância.

17

Eu sou Ubik. Antes que o universo fosse, eu sou. Eu fiz os sóis. Eu fiz os mundos. Eu criei as vidas e os lugares que elas habitam. Eu as transfiro para cá, eu as ponho ali. Elas seguem minhas ordens, fazem o que mando. Eu sou o verbo e meu nome nunca é dito, o nome que ninguém conhece. Eu sou chamado de Ubik, mas este não é o meu nome. Eu sou. Eu Sempre serei.

Glen Runciter não conseguia encontrar o dono do moratório.

– Tem certeza de que não sabe onde ele está? – Runciter perguntou à senhorita Beason, secretária do dono do moratório. – É essencial que eu fale com Ella de novo.

– Pedirei para que a tragam para cá – disse a senhorita Beason. – O senhor pode usar a sala 4-B. Por favor, aguarde aqui, senhor Runciter. Sua esposa estará no escritório em pouquíssimo tempo. Tente ficar à vontade.

Ao localizar o escritório 4-B, Runciter andou de um lado para o outro, impaciente. Finalmente, um funcionário do moratório apareceu, entrando com o esquife de Ella sobre um carrinho de mão.

– Desculpe-me fazê-lo esperar – o funcionário disse, e começou logo a montar o mecanismo eletrônico de conversa particular, cantarolando, feliz, enquanto trabalhava.

Rapidamente, a tarefa estava completa. O funcionário verificou o circuito uma última vez, acenou com a cabeça, satisfeito, depois foi saindo do escritório.

– Isto é pra você – Runciter disse e entregou a ele algumas moedas de cinquenta centavos que havia tirado de diversos bolsos. – Fico grato pela rapidez com que concluiu o trabalho.

– Obrigado, senhor Runciter – disse o funcionário. Olhou de relance as moedas, depois franziu as sobrancelhas. – Que dinheiro é esse?

Runciter olhou bem para as moedas de cinquenta centavos. Viu de imediato o que o funcionário estava querendo dizer. Muito claramente, as moedas não eram como deveriam ser. Que perfil é este, ele se perguntou. Quem é este, em todas as três moedas? Não a pessoa certa, definitivamente. E, no entanto, é familiar. Eu o conheço.

Então reconheceu o perfil. O que será que isso significa? A coisa mais estranha que já vi. A maioria das coisas na vida pode ser explicada, cedo ou tarde. Mas... Joe Chip numa moeda de cinquenta centavos?

Era o primeiro dinheiro de Joe Chip que via.

Com um arrepio, teve a intuição de que, se procurasse nos bolsos e na carteira, encontraria mais.

Isso era apenas o começo.

UBIK

TÍTULO ORIGINAL:
Ubik

PREPARAÇÃO DE TEXTO:
Carlos Orsi

REVISÃO:
Luciane H. Gomide

ILUSTRAÇÃO:
Rafael Coutinho

CAPA E PROJETO GRÁFICO:
Giovanna Cianelli

DIAGRAMAÇÃO:
Join Bureau

ADAPTAÇÃO DE MIOLO:
Desenho Editorial

DIREÇÃO EXECUTIVA:
Betty Fromer

DIREÇÃO EDITORIAL:
Adriano Fromer Piazzi

DIREÇÃO DE CONTEÚDO:
Luciana Fracchetta

EDITORIAL:
Daniel Lameira
Andréa Bergamaschi
Débora Dutra Vieira
Luiza Araujo
Renato Ritto*

COMUNICAÇÃO:
Nathália Bergocce

COMERCIAL:
Giovani das Graças
Lidiana Pessoa
Roberta Saraiva
Gustavo Mendonça
Pâmela Ferreira

FINANCEIRO:
Roberta Martins
Sandro Hannes

*Equipe original à época do lançamento

NESTA EDIÇÃO UTILIZAMOS AS FONTES PILOWLAVA, CRIADA POR ANTON MOGLIA E JÉRÉMY LANDES, BLUU NEXT CRIADA POR JEAN-BAPTISTE MORIZOT E AVARA CRIADA POR RAPHAËL BASTIDE. TODAS FORAM VIABILIZADAS PELA VELVETYNE TYPE FOUNDRY.

EDITORA ALEPH

Rua Tabapuã, 81, cj. 134
04533-010 – São Paulo – SP – Brasil
Tel.: [55 11] 3743-3202
www.editoraaleph.com.br

DADOS INTERNACIONAIS DE CATALOGAÇÃO NA PUBLICAÇÃO (CIP)
DE ACORDO COM ISBD
ELABORADO POR ODILIO HILARIO MOREIRA JUNIOR - CRB-8/9949

D547u Dick, Philip K.
Ubik / Philip K. Dick ; traduzido por Ludimila Hashimoto. - 2. ed. -
São Paulo : Aleph, 2019.
248 p.
Tradução de: Ubik
ISBN: 978-85-7657-451-4
1. Literatura americana. 2. Ficção. I. Hashimoto, Ludimila. II. Título.

2019-904 CDD 813.0876
CDU 821.111(73)-3

ÍNDICES PARA CATÁLOGO SISTEMÁTICO:
1. Literatura americana : Ficção 813.0876
2. Literatura americana : Ficção 821.111(73)-3

TIPOLOGIA:	Versailles – 55 Roman [texto]
	Pilowlava – [entretítulos]
PAPEL:	Pólen Soft 80 g/m² [miolo]
	Ningbo Fold 250 g/m² [capa]
IMPRESSÃO:	Rettec Artes Gráficas e Editora Ltda. [outubro de 2020]
1ª EDIÇÃO:	junho de 2009 [4 reimpressões]
2ª EDIÇÃO:	agosto de 2019 [2 reimpressões]